Atlas do mundo

Atlas of the world
© Picthall & Gunzi Ltd, 2011
Todos os direitos reservados. Nenhuma parte desta publicação pode ser reproduzida, armazenada ou transmitida sob nenhuma forma ou por quaisquer meios, sejam eletrônicos, mecânicos, cópias, gravações ou outros, sem autorização prévia do proprietário do copyright ou do editor.

1ª Edição, Editora Gaia, São Paulo 2012

Diretor Editorial Jefferson L. Alves	*Preparação* Elisa Andrade Buzzo
Diretor de Marketing Richard A. Alves	*Revisão* Tatiana Y. Tanaka
Gerente de Produção Flávio Samuel	*Cartografia digital* Encompass Graphics Ltd, Hove, U. K.
Coordenadora Editorial Arlete Zebber	*Projeto Gráfico* Gillian Shaw e Katy Rayner
Tradução Luciana Chagas	

CIP-BRASIL. Catalogação na fonte
Sindicato Nacional dos Editores de Livros, RJ

P658a

Picthall, Chez; Gunzi, Christiane
    Atlas do mundo / [Chez Picthall e Christiane Gunzi; tradução de Luciana Chagas]. – São Paulo : Gaia, 2012.
    72p. : il.

    Tradução de: Atlas of the world
    ISBN 978-85-7555-293-3

    1. Atlas. 2. Geografia histórica - Mapas. 3. História universal. I. Título

12-1114.   CDD: 911
                                                                                                         CDU: 911.3

Direitos Reservados
EDITORA GAIA LTDA.
(pertence ao grupo Global Editora e Distribuidora Ltda.)

Rua Pirapitingui, 111-A – Liberdade
CEP 01508-020 – São Paulo – SP
Tel.: (11) 3277-7999 – Fax: (11) 3277-8141
e-mail: gaia@editoragaia.com.br
www.editoragaia.com.br

Colabore com a produção científica e cultural.
Proibida a reprodução total ou parcial desta obra sem a autorização do editor.

Obra atualizada conforme o
Novo Acordo Ortográfico da Língua Portuguesa

Nº de Catálogo: **3383**

Atlas do mundo

São Paulo
2012

Sumário

O mundo dos mapas	6
Como usar este atlas	7
Nosso planeta no espaço	8–9
Características físicas do planeta Terra	10–11
Países do mundo	12–13
Clima e cobertura vegetal	14–15
A população do planeta Terra	16–17
Bandeiras, capitais e população	18–19

América do Norte

Canadá	20–21
Estados Unidos	22–23
América Central e Caribe	24–25

América do Sul

América do Sul	26–27

África

África Setentrional	28–29
África Meridional	30–31

Europa

Norte da Europa	**32–33**
Europa Ocidental	**34–35**
Europa Central	**36–37**
Sudeste da Europa	**38–39**
Federação Russa	**40–41**

Ásia

Sudoeste Asiático	**42–43**
Ásia Central	**44–45**
Sul Asiático	**46–47**
Ásia Oriental	**48–49**
Sudeste Asiático	**50–51**

Australásia e Oceania

Austrália	**52–53**
Ilhas do Pacífico	**54–55**
Nova Zelândia	**56–57**

Ártico e Antártida

Ártico	**58**
Antártida	**59**
Índice de localidades	**60–67**
Índice geral	**68–71**
Fontes iconográficas	**72**

O mundo dos mapas

Os mapas nos mostram a aparência de localidades terrestres quando vistas do alto. Eles nos oferecem informações úteis, como a localização de vilarejos e cidades e os trechos ocupados por rios e montanhas. Os mapas podem nos ajudar a descobrir onde estamos e nos indicar a distância entre os lugares. Para isso, apresentam dados diversos, bem como vários símbolos, traços e cores, que exibem as características da superfície da Terra. Em geral, utilizam-se símbolos para determinar a posição de cidades e traços para indicar limites territoriais e cursos de rios.

Guia de rua

Mapa do país

Escalas. Os mapas podem ser de dois tipos: 1) de grande escala, que retratam os detalhes de pequenas áreas, como o guia de ruas na figura superior; 2) de pequena escala, que exibem áreas extensas com poucos detalhes, como o mapa do país, na figura inferior.

Como os mapas são produzidos

Os globos são o tipo de mapa mais preciso, pois têm a mesma forma que o planeta Terra. Para fazer um mapa plano a partir de um globo, os criadores de mapas precisam alterar os contornos da superfície terrestre. As formas precisam ser distorcidas e esticadas. Isso é feito por meio de fórmulas matemáticas, num processo denominado "projeção". Há diversos tipos de projeção, e as diferenças entre um e outro são sutis. Os criadores de mapas são conhecidos como "cartógrafos".

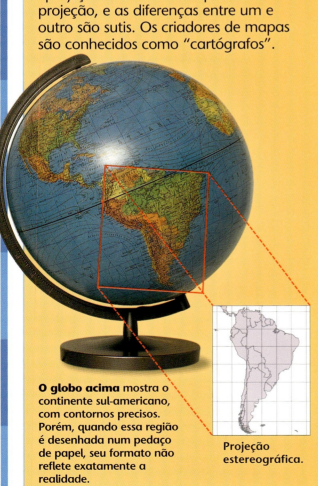

O globo acima mostra o continente sul-americano, com contornos precisos. Porém, quando essa região é desenhada num pedaço de papel, seu formato não reflete exatamente a realidade.

Projeção estereográfica.

Linhas de latitude e longitude

A fim de auxiliar a localização de regiões e pontos específicos, foram estabelecidas linhas imaginárias ao redor do globo: as linhas de latitude e de longitude. As linhas de latitude são dispostas horizontalmente e indicam a distância – ao sul ou ao norte – de um ponto geográfico até a Linha do Equador, isto é, a linha que circunda o centro do globo. Por sua vez, as linhas de longitude vão do Polo Norte ao Polo Sul e indicam a distância – a leste ou oeste – de um ponto geográfico até Greenwich, em Londres. Essas distâncias são descritas em graus e determinam a posição das diferentes localidades no planeta.

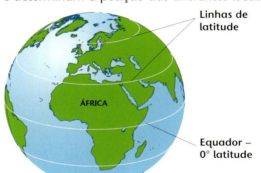

Linhas de latitude

Equador – 0° latitude

Greenwich, Londres, Inglaterra – 0° longitude

Linhas de longitude

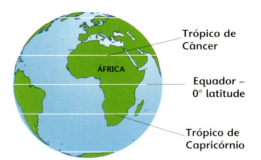

Trópico de Câncer

Equador – 0° latitude

Trópico de Capricórnio

A Linha do Equador e os trópicos

A Linha do Equador é um traço imaginário que circunda o centro do globo terrestre. As distâncias dessa linha até o Polo Norte e até o Polo Sul são idênticas. Dispostos paralelamente à Linha do Equador estão os chamados Trópico de Câncer e Trópico de Capricórnio. Denomina-se "tropical" a área situada entre esses trópicos, bem como seu clima.

VOCÊ SABIA?

◈ Antes de se produzir um mapa, é preciso tomar nota de diversas medidas: distâncias entre vilarejos e cidades, altitudes de montanhas e extensões de rios. O litoral também deve ser medido. Essas medições são feitas com base em dados obtidos via satélite.

Polo Norte e Polo Sul

Os polos são os pontos mais ao norte e mais ao sul do globo terrestre. São pontos invisíveis e coincidem com os locais onde se encontram as linhas de longitude. Quando alguém está no Polo Sul, qualquer lugar para onde olhe estará a norte. E, no Polo Norte, tudo o que se vê está a sul. Não há porção de terra no Polo Norte, apenas as águas congeladas do Oceano Ártico.

Polo Norte

Polo Sul

6

Como usar este atlas

Os mapas deste atlas estão organizados por continente, na seguinte ordem: América do Norte, América Central e Caribe, América do Sul, África, Europa, Ásia, Australásia, Oceania e Antártida. Cada mapa ocupa duas páginas, e os respectivos países são listados no canto superior esquerdo, para facilitar a consulta. A Antártida está representada juntamente com o Ártico, no último mapa. Os mapas são acompanhados de fotos de paisagens, indústrias, pontos turísticos, comidas típicas e fatos relevantes, oferecendo um panorama de cada região.

Índices

Este atlas conta com dois índices. Um relaciona todas as localidades representadas nos mapas do livro. O outro indica nomes de animais, fábricas e demais itens citados. Para saber mais sobre como usar os índices, veja a página 60.

```
• • A • •
Acrópolis, Atenas, Grécia   38
Afeganistão  44
    bandeira, capital e população
    19, 45
Afghan hound   45
África
    condições de vida   16
    distância da Espanha   34
    Meridional   18, 30-1
    ponto mais alto   31
    Setentrional   18, 28-9
África do Sul
    bandeira, capital e população
    18, 30
agricultura   20, 22, 23, 36, 39, 42,
    46, 54, 55
água doce   59
    lagos de   21, 40
    tubarão   24
águia-de-cabeça-branca   23
Aids/HIV   17
alagamento   14
Alasca, EUA   22
Albânia
    bandeira, capital e população
    19, 39
```

Índice geral

O **título regional** informa a região ou o país representado no mapa.

O **título continental** aponta o continente em que se localiza a região ou país representado.

O **texto introdutório** contextualiza cada mapa, com informações gerais sobre a localidade.

A seção **Você sabia?** revela fatos interessantes sobre os países.

Este **localizador** indica a região do globo exibida no mapa.

Este **indicador** relaciona os países a que se referem as informações apresentadas no par de páginas.

Coordenadas nas margens de cada página auxiliam a localização de cidades, vilarejos, rios, montanhas e outros itens relacionados nos índices.

Fotos de animais, pessoas e lugares típicos dão uma noção da realidade local.

As **bandeiras nacionais** estão ilustradas próximo aos respectivos países.

A **bússola** aponta onde está o Polo Norte para quem se situa na região representada no mapa.

A **escala** ajuda a ter uma ideia da distância entre os lugares e do tamanho dos países.

As **tonalidades** revelam a altitude de cada lugar.

Recursos disponíveis nos mapas:

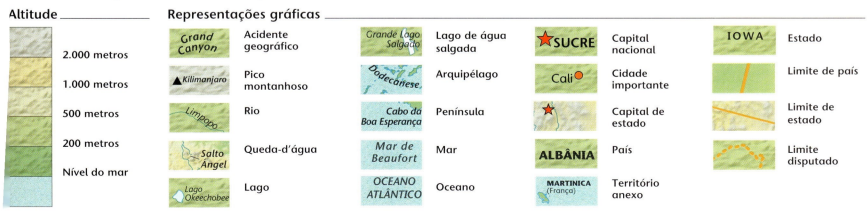

Altitude: 2.000 metros, 1.000 metros, 500 metros, 200 metros, Nível do mar

Representações gráficas:
- Grand Canyon — Acidente geográfico
- Kilimanjaro — Pico montanhoso
- Limpopo — Rio
- Salto Ángel — Queda-d'água
- Lago Okeechobee — Lago
- Grande Lago Salgado — Lago de água salgada
- Dodecanese — Arquipélago
- Cabo da Boa Esperança — Península
- Mar de Beaufort — Mar
- OCEANO ATLÂNTICO — Oceano
- ★ SUCRE — Capital nacional
- Cali ● — Cidade importante
- ★ — Capital de estado
- ALBÂNIA — País
- MARTINICA (França) — Território anexo
- IOWA — Estado
- Limite de país
- Limite de estado
- Limite disputado

Nosso planeta no espaço

Se alguém perguntasse o endereço do nosso planeta, a resposta seria: "Terra, Sistema Solar, Via Láctea, Universo." Ou seja, a Terra integra o Sistema Solar, que constitui uma parte bem pequena da galáxia chamada Via Láctea. Uma galáxia é um denso grupo de centenas de bilhões de estrelas, e a Via Láctea é apenas uma dentre bilhões de galáxias existentes no Universo. Por sua vez, Universo é o nome dado ao espaço como um todo.

A Via Láctea

Nosso Sol é uma das 200 bilhões de estrelas da Via Láctea, uma gigantesca galáxia em espiral que levaria 100 mil anos-luz para ser totalmente percorrida.

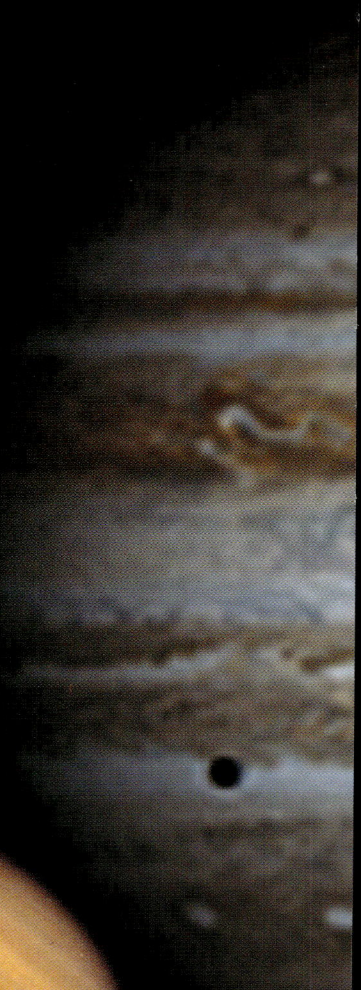

O Sistema Solar

O Sistema Solar é composto pelo Sol e por oito planetas, além de outros corpos celestes (cometas, luas e asteroides) que orbitam ao redor desse astro. O Sol é uma estrela cuja gravidade, bastante poderosa, faz que tudo gire ao seu redor. Os quatro planetas mais próximos do Sol (Mercúrio, Vênus, Terra e Marte) são formados por rochas e metais. Os quatro planetas mais distantes do astro rei (Júpiter, Saturno, Urano e Netuno) compõem-se, sobretudo, de gases ou líquidos; por isso recebem o nome de "gigantes gasosos".

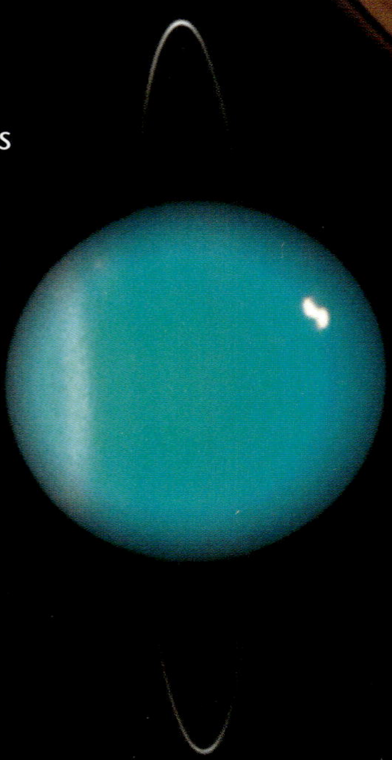

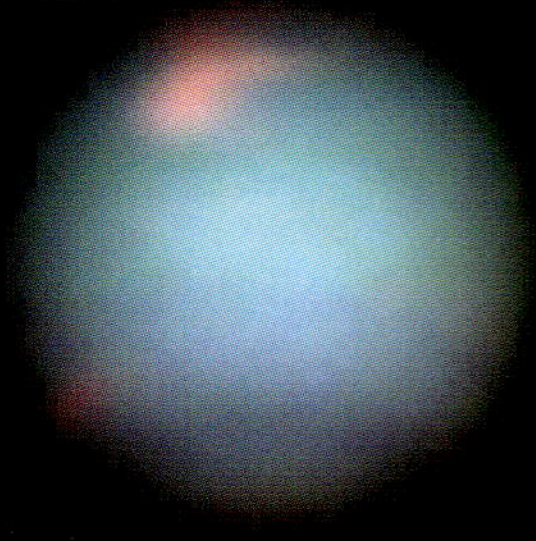

Saturno
Este planeta é rodeado por diversos "anéis" com espessura de algumas centenas de metros e aproximadamente 270 mil quilômetros de diâmetro. Esses anéis são formados por milhões de partículas congeladas cujo tamanho varia de uns poucos milímetros de uma extremidade a outra até grandes formações com dezenas de metros de extensão.

Plutão
Costumava-se classificar Plutão como um planeta, mas, em 2006, a União Internacional de Astronomia determinou que se trata de um "planeta-anão".

Netuno
Em 1843 um matemático francês anunciou, com base em cálculos, a existência deste planeta (o mais distante do Sol). Porém, somente após três anos Netuno foi visto de fato.

Urano
A cor azul deste planeta se deve ao gás metano, presente em sua atmosfera. Os cientistas acreditam que Urano seja formado por metano, água e amônia congelados ao redor de um núcleo sólido.

VOCÊ SABIA?

◈ No espaço as distâncias são tão grandes que os cientistas as medem em "anos-luz". Um ano-luz é a distância percorrida pela luz no período de um ano, ou seja, 9.460 bilhões de quilômetros!

◈ A luz emitida pelo Sol leva pouco mais de oito minutos para alcançar a Terra.

Distância dos planetas em relação ao Sol

Netuno
Aproximadamente 4,5 bilhões de quilômetros distante do Sol.

Urano

Saturno

Júpiter

Sol

Vênus

Terra

Marte

Mercúrio

O Sol
A idade do Sol é de cerca de 4,5 bilhões de anos, e isso é apenas metade de seu tempo de vida previsto! O Sol tem 1,4 milhões de quilômetros de diâmetro e é formado, em grande parte, pelos gases hidrogênio e hélio. A temperatura na superfície solar é de 5.500 °C.

A Lua
Nossa Lua, formada por rocha sólida, não apresenta água e sua superfície é coberta por crateras resultantes da colisão com meteoritos.

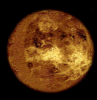
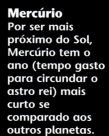

Mercúrio
Por ser mais próximo do Sol, Mercúrio tem o ano (tempo gasto para circundar o astro rei) mais curto se comparado aos outros planetas.

Vênus
Vênus é o corpo celeste que mais brilha à noite; isso porque, em comparação com outros planetas, sua atmosfera é a que mais reflete a luz solar.

Terra
Este é o terceiro planeta mais próximo do Sol e, pelo que se sabe, é o único em que existe vida.

Marte
Marte é coberto por uma poeira vermelha e cintilante que frequentemente se agrupa sob a forma de intensas tempestades de areia. Quando isso acontece, é impossível ver a superfície do planeta.

Júpiter
Este enorme planeta, o maior do Sistema Solar, é composto quase que exclusivamente por gases. Seu diâmetro é 11 vezes maior do que o da Terra.

VOCÊ SABIA?
◈ Para ser considerado um planeta, um corpo celeste deve:
1) orbitar ao redor do Sol;
2) ser grande o bastante para que sua gravidade lhe dê um formato esférico;
3) impedir que qualquer outro corpo invada sua órbita.

◈ Plutão não atende ao terceiro requisito, por isso, em 2006, foi rebaixado à categoria de "planeta-anão".

As várias camadas do planeta Terra
A rochosa superfície terrestre em que vivemos é denominada crosta e tem cerca de 40 quilômetros de espessura. Os pesquisadores defendem que a porção mais interna do núcleo da Terra é composta por ferro sólido. Essa porção é coberta por uma camada de ferro e níquel fundidos, constituindo o que se chama núcleo externo. Entre o núcleo externo e a crosta há o manto.

Terra
- Núcleo interno (1.278 km de espessura)
- Núcleo externo (2.210 km de espessura)
- Manto (2.850 km de espessura)
- Crosta (40 km de espessura)
- Atmosfera (aproximadamente 100 km de espessura)

Movimentos da superfície terrestre
A crosta terrestre é composta por "placas tectônicas" que estão em constante movimento, empurrando-se umas às outras. Em geral, esses movimentos são muito sutis e por isso não os percebemos. Mas, eventualmente, como nos casos de terremoto ou erupção vulcânica, a superfície se move de maneira tão violenta que tais deslocamentos são facilmente notados.

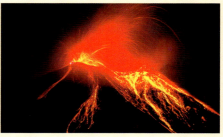

Terremoto
Quando as placas tectônicas colidem em vez de deslizarem empurrando-se mutuamente, a tensão na camada rochosa aumenta fazendo-a romper-se. Esse rompimento provoca ondas de tremor pela superfície terrestre, caracterizando um terremoto. Tremores de grande intensidade podem destruir até mesmo cidades inteiras.

Vulcão
Nos pontos em que a crosta é frágil, ou em regiões situadas entre duas placas tectônicas, ocorre transbordamento de magma (rocha fundida). Ao longo dos anos, esse processo pode levar à formação de vulcões. A pressão do magma em direção à superfície terrestre pode ser forte a ponto de causar erupção, ou seja, expulsão de lava.

Características físicas do plane[ta]

Países do mundo

Lista de Abreviações

ALB.	Albânia
AZER.	Azerbaijão
BÉLG.	Bélgica
BH	Bósnia e Herzegovina
RT	República Tcheca
EAU	Emirados Árabes Unidos
ESL.	Eslovênia
EU	Estados Unidos
FR	Federação Russa
HOL.	Holanda
LIECH.	Liechtenstein
LUX.	Luxemburgo
MONT.	Montenegro
NZ	Nova Zelândia
RU	Reino Unido
SM	San Marino

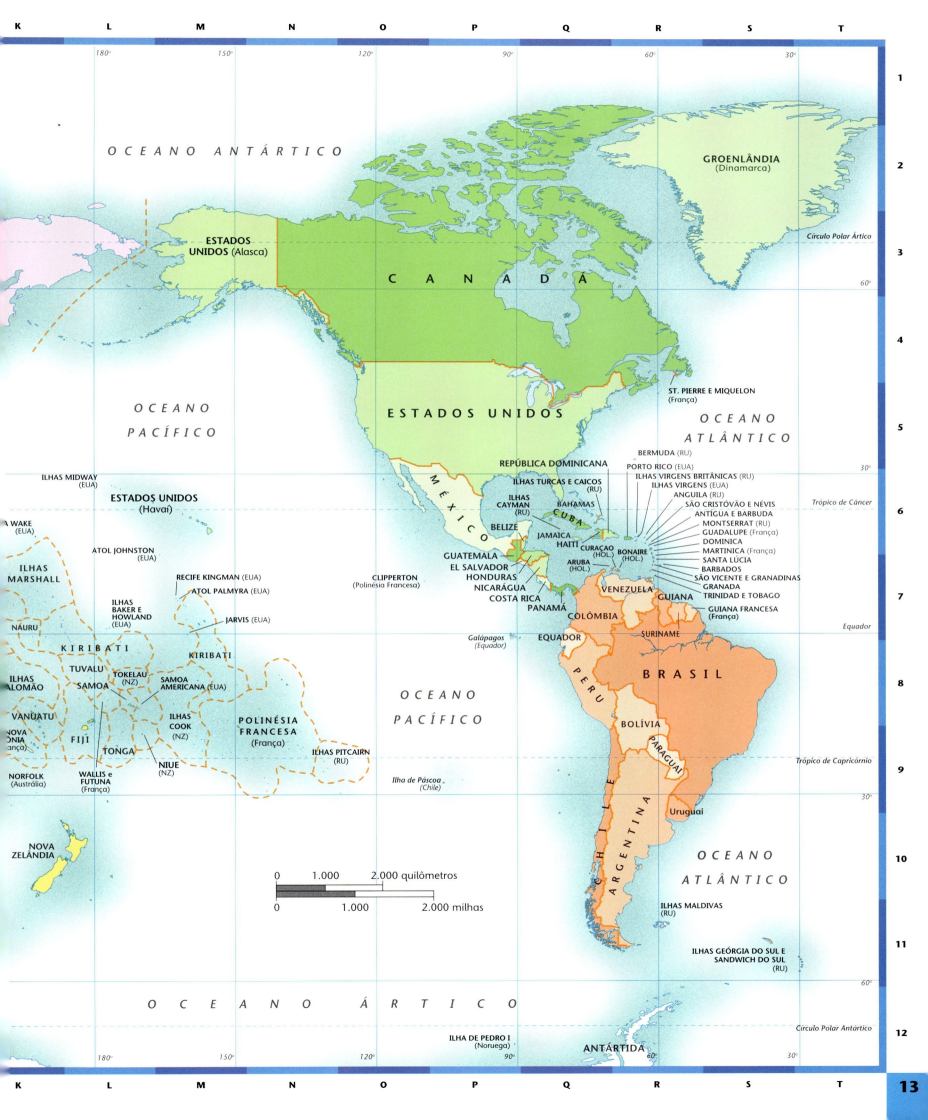

Clima e cobertura vegetal

Chama-se clima o padrão médio das condições atmosféricas ao longo de um período de trinta anos. O clima depende da quantidade de luz solar e de chuva que incide em determinada região, bem como da distância desse local até o oceano, da influência das correntes marinhas (se for o caso) sobre essa área e de sua altitude em relação ao nível do mar. Climas diferentes implicam vegetações diferentes. O conjunto dos tipos de planta – pradarias e florestas tropicais, por exemplo – encontrados em um determinado território é denominado cobertura vegetal. Cada uma das espécies animais requer um tipo de cobertura vegetal. Os países próximos à Linha do Equador recebem maior incidência de luz solar e chuva; neles estão os *habitats* com o maior número de animais e plantas. Nas regiões com pouca chuva, ou com temperaturas excessivamente altas ou baixas – como o Saara e os Polos Norte e Sul –, poucas espécies vegetais e animais conseguem sobreviver.

■ Floresta latifoliada temperada
Nas florestas situadas em zonas temperadas o clima é ameno e há alta incidência de chuva. Carvalhos, faias, bétulas e castanheiras estão entre as árvores típicas dessas regiões. Por serem latifoliadas, isto é, por terem folhas largas, árvores como essas armazenam nutrientes durante o verão e soltam as folhas no outono, para poupar energia e água.

■ Floresta latifoliada tropical
Nas florestas tropicais mais próximas da Linha do Equador o clima é caracterizado por temperaturas elevadas e chuva abundante ao longo de todo o ano. Essas florestas chegam a contar com mais de 50 mil espécies de árvores, além de abrigar enorme quantidade de outras plantas e também animais.

Mudanças climáticas
O clima da Terra vem sofrendo transformações, o que afeta a natureza e os povos do planeta. Enquanto certas regiões apresentam enchentes excessivas, outras são assoladas pela seca. Muitas espécies animais, como os ursos-polares, estão ameaçadas pelas mudanças climáticas. Nem todos os bichos e plantas conseguirão se adaptar às novas condições do clima. Nas áreas mais afetadas, algumas espécies provavelmente desaparecerão.

VOCÊ SABIA?

◆ Os raios solares são mais intensos na Linha do Equador do que nos Polos Norte e Sul. Isso explica por que o clima é quente nas regiões tropicais e frio nas zonas polares.

◆ Os diferentes ambientes (*habitats*) do planeta nos quais existe vida são chamados de biomas. Áreas mais específicas, como florestas e desertos, são chamadas de ecossistemas.

A resposta da natureza
Tempestades violentas, chuvas torrenciais, ventos arrasadores e excesso de luz solar são exemplos de reações severas da natureza. Essas reações provocam grandes áreas de alagamento ou estiagem, com efeitos devastadores, deixando pessoas sem moradia – ou, na pior hipótese, matando-as. As plantações, as criações de gado e a natureza como ur todo podem ser destruídas

Floresta de coníferas
Ao longo de todo o trecho norte da Ásia, da Europa e da América do Norte, observa-se um cinturão de árvores altas e com folhas estreitas, sempre verdejantes. Esse tipo de vegetação pode sobreviver a invernos rigorosos, pois dispõe de nutrientes durante todo o ano.

Áreas agrícolas
Em todo o mundo, principalmente na Europa e na América do Norte, grande parte das áreas de solo cultivável não apresenta mais sua vegetação natural. Há séculos a cobertura vegetal dessas terras vem sendo substituída por plantações de grãos, verduras e legumes usados como alimento.

Pampas
Nas regiões em que não chove o bastante para o desenvolvimento de árvores mais altas, há extensas áreas campestres cobertas por gramíneas e pequenos arbustos, ou seja, os pampas. No hemisfério norte, esse tipo de vegetação é também conhecido como estepe, prado ou pradaria. O nome "pampa" é usado na América do Sul.

Tundra
Em sua maioria, as áreas de tundra se concentram próximo ao Ártico, onde o solo permanece congelado na maior parte do ano. Nos poucos meses de degelo, é possível avistar plantas como líquens, musgos e vegetações rasteiras.

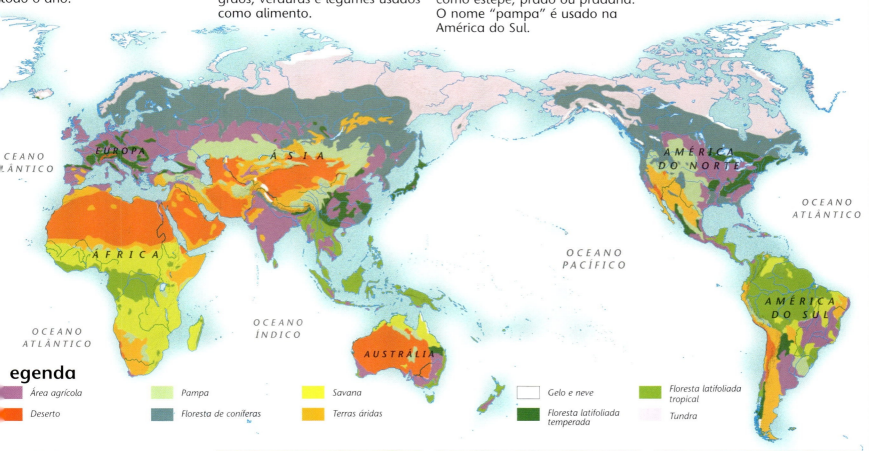

Legenda
- Área agrícola
- Deserto
- Pampa
- Floresta de coníferas
- Savana
- Terras áridas
- Gelo e neve
- Floresta latifoliada temperada
- Floresta latifoliada tropical
- Tundra

Gelo e neve
No Ártico e na Antártida, assim como nos picos de cordilheiras como os Alpes e os Andes, há neve e gelo durante todo o ano. As temperaturas permanecem muito abaixo de 0 °C e costuma ventar muito. Poucos animais e plantas conseguem sobreviver nessas regiões inóspitas.

Vegetação arbustiva
As regiões próximas a desertos apresentam apenas vegetação arbustiva. Isso porque, em locais onde faz muito frio ou muito calor, a sobrevivência das árvores se torna difícil; então, formam-se apenas arbustos baixos, densos, geralmente espinhosos, com folhas curtas.

Deserto
Os desertos são áreas secas, com pouquíssima água e, em geral, bastante vento. Uma vez que as temperaturas atingem mais de 40 °C durante o dia e menos de 0 °C à noite, não são muitos os animais e plantas capazes de viver nesses lugares.

Savana
Entre os desertos e as florestas tropicais existem regiões conhecidas como savanas. Nelas, a vegetação predominante são os gramados. Há muitas árvores, mas elas são bem esparsas.

15

A população do planeta Terra

A cada segundo, a população mundial ganha duas ou três pessoas. Cerca de cem anos atrás, havia 1,6 bilhões de pessoas no planeta, mas em 2011 esse número chegou a 7 bilhões. Os cientistas calculam que em 2050 seremos 9 bilhões, caso se mantenham as taxas de natalidade e mortalidade atuais. Há gente espalhada por todo o globo, mas a distribuição populacional não é equilibrada. Alguns países, como Cingapura, apresentam elevada densidade demográfica, com milhares de habitantes por quilômetro quadrado. Outros, como a Mongólia, têm em média apenas dois habitantes ocupando esse mesmo espaço. A maioria dos locais com poucos habitantes são regiões muito quentes e secas, como o Saara, ou muito frias, como os polos.

Há o suficiente para todos?
À medida que a população mundial cresce, é necessário mais casas, alimentos, água e combustível. Em algumas localidades, não há água nem moradia suficientes para todos. Certos países não têm capacidade de produzir alimento o bastante nem dispõem de combustível em quantidade satisfatória.

População mundial
Este mapa mostra a distribuição da população mundial. A maior concentração demográfica ocorre no sul e no leste da Ásia. Em 1900, poucas cidades excediam a marca de 1 milhão de habitantes. Hoje, pouco mais de dez cidades no globo já ultrapassaram os 10 milhões de habitantes.

Como o verão e o inverno na EUROPA são amenos, boa parte do território é cultivável e de fácil lavoura, oferecendo boas condições de vida.

A ÁFRICA abriga o Saara, o maior deserto do mundo. Viver nessa região é bastante difícil, pois as temperaturas alcançam 50 °C durante o dia e caem para menos de 0 °C à noite. A maioria da população local pertence a tribos nômades.

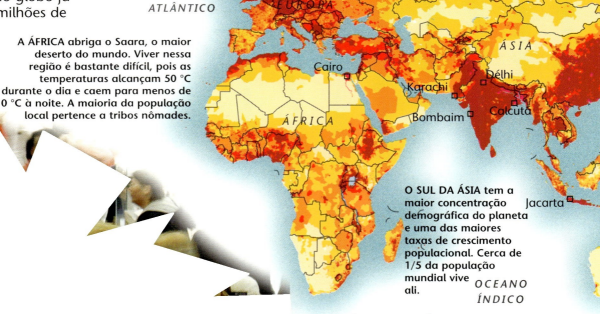

O SUL DA ÁSIA tem a maior concentração demográfica do planeta e uma das maiores taxas de crescimento populacional. Cerca de 1/5 da população mundial vive ali.

Cidades populosas
No início do século XX, apenas 1 entre 10 pessoas vivia na zona urbana. Atualmente, 5 a cada 10 pessoas moram em cidades. A maioria das cidades com mais de 1 milhão de habitantes fica na Índia e na China; porém, 2/3 das pessoas que vivem nesses países moram em zonas rurais. Estima-se que em 2030 cerca de 2/3 da população mundial habitem áreas urbanas.

VOCÊ SABIA?

◈ A densidade demográfica é obtida ao se dividir o número de pessoas de um país pela extensão de seu território em quilômetros quadrados.

◈ A maior taxa de crescimento da população mundial ocorreu entre 1960 e 1990, quando passou de 3 para 6 bilhões.

Esta é a lista dos países mais populosos do mundo.

Em 2007, 11 países apresentavam população superior a 100 milhões de habitantes.

1	China	1.321.851.888
2	Índia	1.129.866.154
3	Estados Unidos	301.139.947
4	Indonésia	234.693.997
5	Brasil	190.010.647
6	Paquistão	164.741.924
7	Bangladesh	150.448.339
8	Federação Russa	141.377.752
9	Nigéria	135.031.164
10	Japão	127.433.494
11	México	108.700.891

Crescimento populacional

Hoje, a população mundial é mais de seis vezes maior do que era há duzentos anos. Isso se explica sobretudo pela disponibilidade de sistemas de saúde mais eficientes e por melhores técnicas de cultivo de alimentos e de abastecimento de água potável. Quando a população é mais bem alimentada e recebe melhores cuidados de saúde, as pessoas vivem por mais tempo e aumenta o número de bebês nascidos vivos e com reais chances de sobreviver.

Controle de natalidade

Em algumas partes do mundo, as famílias são bem grandes, seja por motivos religiosos, tradições ou baixa renda. Para refrear o crescimento populacional, as administrações locais orientam as pessoas a planejar melhor o tamanho de suas famílias. Na China, por exemplo, foi estabelecido que os casais devem pedir permissão ao governo para ter mais de um filho.

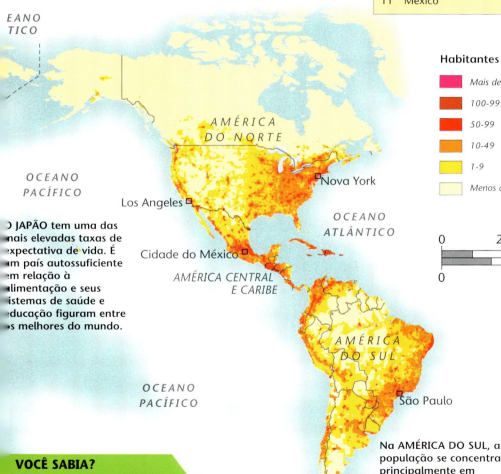

Habitantes por quilômetro quadrado
- Mais de 1.000
- 100-999
- 50-99
- 10-49
- 1-9
- Menos de 1

O JAPÃO tem uma das mais elevadas taxas de expectativa de vida. É um país autossuficiente em relação à alimentação e seus sistemas de saúde e educação figuram entre os melhores do mundo.

Na AMÉRICA DO SUL, a população se concentra principalmente em regiões litorâneas e no norte dos Andes. Muitas cidades vêm apresentando elevado crescimento populacional em virtude do êxodo rural motivado pela busca por trabalho.

VOCÊ SABIA?

◈ 90% da população mundial se concentra em apenas 10% de todo o território do planeta.

◈ Mônaco, na Europa, é o país com maior densidade demográfica – 16 mil pessoas por quilômetro quadrado.

Expectativa de vida

O número de anos que uma pessoa provavelmente viverá é chamado de "expectativa de vida" e varia de um país para outro. Nos países onde não há comida nem água potável suficientes, é pouco provável que as pessoas vivam até a velhice avançada. A Suazilândia, por exemplo, apresenta altos índices de contaminação por HIV (Aids), e a expectativa de vida nesse país é de 32 anos. O Japão é uma das nações mais ricas do mundo e tem uma das maiores expectativas de vida, em torno de 82 anos. Em Andorra, esse número chega a 83 anos, o maior em todo o planeta.

17

Bandeiras, capitais e população

Todo país tem uma bandeira nacional. As bandeiras são representações simbólicas e coloridas de um povo e seu governo. O número de habitantes de um país muda diariamente. Muitas nações apresentam crescimento populacional, mas, em alguns casos, a população diminui por causa de guerras, desastres naturais ou pressões políticas. Veja a seguir uma lista de todos os continentes e países com a bandeira, o nome da capital e o número de habitantes de cada país.

AMÉRICA DO NORTE
Canadá p.20

Canadá
Capital Ottawa
População 33.390.141

Estados Unidos p.22
Estados Unidos da América
Capital Washington DC
População 301.139.947

AMÉRICA CENTRAL E CARIBE p.24

Antígua e Barbuda
Capital St. John's
População 69.481

Bahamas
Capital Nassau
População 305.655

Barbados
Capital Bridgetown
População 280.946

Belize
Capital Belmopan
População 294.385

Costa Rica
Capital São José
População 4.133.884

Cuba
Capital Havana
População 11.394.043

Dominica
Capital Roseau
População 72.386

República Dominicana
Capital Santo Domingo
População 9.365.818

El Salvador
Capital São Salvador
População 6.948.073

Granada
Capital St. George's
População 89.971

Guatemala
Capital Cidade da Guatemala
População 12.728.111

Haiti
Capital Porto Príncipe
População 8.706.497

Honduras
Capital Tegucigalpa
População 7.483.763

Jamaica
Capital Kingston
População 2.780.132

México
Capital Cidade do México
População 108.700.891

Nicarágua
Capital Manágua
População 5.675.356

Panamá
Capital Cidade do Panamá
População 3.242.173

Santa Lúcia
Capital Castries
População 170.649

São Cristóvão e Névis
Capital Basseterre
População 39.349

São Vicente e Granadinas
Capital Kingstown
População 118.149

Trinidad e Tobago
Capital Port of Spain
População 1.056.608

AMÉRICA DO SUL
América do Sul p.26

Argentina
Capital Buenos Aires
População 40.301.927

Bolívia
Capital La Paz/Sucre
População 9.119.152

Brasil
Capital Brasília
População 190.010.647

Chile
Capital Santiago
População 16.284.741

Colômbia
Capital Bogotá
População 44.379.598

Equador
Capital Quito
População 13.755.680

Guiana
Capital Georgetown
População 769.095

Paraguai
Capital Assunção
População 6.669.086

Peru
Capital Lima
População 28.674.757

Suriname
Capital Paramaribo
População 470.784

Uruguai
Capital Montevidéu
População 3.460.607

Venezuela
Capital Caracas
População 26.023.528

ÁFRICA
África Setentrional p.28

Argélia
Capital Argel
População 33.333.216

Benin
Capital Porto Novo
População 8.078.314

Burkina Faso
Capital Ouagadougou
População 14.326.203

Camarões
Capital Yaoundé
População 18.060.382

Cabo Verde
Capital Praia
População 423.613

República Centro-Africana
Capital Bangui
População 4.369.038

Chade
Capital Ndjamena
População 9.885.661

Djibuti
Capital Djibuti
População 496.374

Egito
Capital Cairo
População 80.335.036

Eritreia
Capital Asmara
População 4.906.585

Etiópia
Capital Adis-Abeba
População 76.511.887

Gâmbia
Capital Banjul
População 1.688.359

Gana
Capital Acra
População 22.931.299

Guiné
Capital Conacri
População 9.947.814

Guiné-Bissau
Capital Bissau
População 1.472.780

Costa do Marfim
Capital Yamoussoukro
População 18.013.409

Libéria
Capital Monróvia
População 3.195.931

Líbia
Capital Trípoli
População 6.036.914

Mali
Capital Bamaco
População 11.995.402

Mauritânia
Capital Nuakchott
População 3.270.065

Marrocos
Capital Rabat
População 33.757.175

Níger
Capital Niamei
População 12.894.865

Nigéria
Capital Abuja
População 135.031.164

Senegal
Capital Dacar
População 12.521.851

Serra Leoa
Capital Freetown
População 6.144.562

Somália
Capital Mogadíscio
População 9.118.773

Sudão do Sul
Capital Juba
População 8.260.490

Sudão
Capital Cartum
População 39.379.358

Togo
Capital Lomé
População 5.701.579

Tunísia
Capital Túnis
População 10.276.158

Saara Ocidental
Capital El Aaiún
População 382.617

África Meridional p.30

Angola
Capital Luanda
População 12.263.596

Botswana
Capital Gaborone
População 1.815.508

Burundi
Capital Bujumbura
População 8.390.505

Comores
Capital Moroni
População 711.417

Congo
Capital Brazzaville
População 3.800.610

Rep. Dem. do Congo
Capital Kinshasa
População 67.757.577

Guiné Equatorial
Capital Malabo
População 551.201

Gabão
Capital Libreville
População 1.454.867

Quênia
Capital Nairóbi
População 36.913.721

Lesoto
Capital Maseru
População 2.125.262

Madagascar
Capital Antananarivo
População 19.448.815

Malawi
Capital Lilongue
População 13.603.181

Maurício
Capital Port Louis
População 1.250.882

Moçambique
Capital Maputo
População 20.905.585

Namíbia
Capital Windhoek
População 2.055.080

Ruanda
Capital Kigali
População 9.907.509

São Tomé e Príncipe
Capital São Tomé
População 199.579

Seychelles
Capital Vitória
População 81.895

África do Sul
Capitais Bloemfontein, Cidade do Cabo e Tshwane (Pretória)
População 43.997.828

Suazilândia
Capitais Mbabane e Lobamba
População 1.133.066

Tanzânia
Capital Dodoma
População 39.384.223

Uganda
Capital Campala
População 30.262.610

Zâmbia
Capital Lusaca
População 11.477.447

Zimbábue
Capital Harare
População 12.311.143

EUROPA
Norte da Europa p.32

Dinamarca
Capital Copenhague
População 5.468.120

Estônia
Capital Tallinn
População 1.315.912

Finlândia
Capital Helsinque
População 5.238.460

Islândia
Capital Reykjavik
População 301.931

Letônia
Capital Riga
População 2.259.810

Lituânia
Capital Vilnius
População 3.575.439

Noruega
Capital Oslo
População 4.627.926

Suécia
Capital Estocolmo
População 9.031.088

Europa Ocidental p.34

Andorra
Capital Andorra la Vella
População 71.822

Bélgica
Capital Bruxelas
População 10.392.226

França
Capital Paris
População 63.713.926

Irlanda
Capital Dublin
População 4.109.086

Luxemburgo
Capital Luxemburgo
População 480.222

Mônaco
Capital Cidade de Mônaco
População 32.671

Holanda
Capitais Amsterdã e Haia
População 16.570.613

Portugal
Capital Lisboa
População 10.642.836

Espanha
Capital Madrid
População 40.448.191

Reino Unido
Capital Londres
População 60.776.238

Europa Central p.36

Áustria
Capital Viena
População 8.199.783

República Tcheca
Capital Praga
População 10.228.744

Alemanha
Capital Berlim
População 82.400.996

Itália
Capital Roma
População 58.147.733

Liechtenstein
Capital Vaduz
População 34.247

Malta
Capital Valeta
População 401.880

Polônia
Capital Varsóvia
População 38.518.241

San Marino
Capital San Marino
População 29.615

Eslováquia
Capital Bratislava
População 5.447.502

Eslovênia
Capital Liubliana
População 2.009.245

Suíça
Capital Berna
População 7.554.661

Vaticano
Capital Cidade do Vaticano
População 821

Sudeste da Europa p.38

Albânia
Capital Tirana
População 3.600.523

Bielorrússia
Capital Minsk
População 9.724.723

Bósnia e Herzegovina
Capital Sarajevo
População 4.552.198

Bulgária
Capital Sófia
População 7.322.858

Croácia
Capital Zagreb
População 4.493.312

Grécia
Capital Atenas
População 10.706.290

Hungria
Capital Budapeste
População 9.956.108

Macedônia
Capital Skopje
População 2.055.915

Moldávia
Capital Chisinau
População 4.320.490

Montenegro
Capital Podgorica
População 684.736

Romênia
Capital Bucareste
População 22.276.056

Sérvia
Capital Belgrado
População 10.150.265

Ucrânia
Capital Kiev
População 46.299.862

Federação Russa p.40

Federação Russa
Capital Moscou
População 141.377.752

ÁSIA
Sudoeste Asiático p.42

Armênia
Capital Ierevan
População 2.971.650

Azerbaijão
Capital Baku
População 8.120.247

Barein
Capital Manama
População 708.573

Chipre
Capital Nicósia
População 788.457

Geórgia
Capital Tbilisi
População 4.646.003

Irã
Capital Teerã
População 65.397.521

Iraque
Capital Bagdá
População 27.499.638

Israel
Capital Jerusalém
População 6.426.679

Jordânia
Capital Amã
População 6.053.193

Kuwait
Capital Cidade do Kuwait
População 2.505.559

Líbano
Capital Beirute
População 3.925.502

Omã
Capital Mascate
População 3.204.897

Catar
Capital Doha
População 907.229

Arábia Saudita
Capital Riad
População 27.601.038

Síria
Capital Damasco
População 19.314.747

Turquia
Capital Ankara
População 71.158.647

Emirados Árabes Unidos
Capital Abu Dhabi
População 4.444.011

Iêmen
Capital Sana
População 22.230.531

Ásia Central p.44

Afeganistão
Capital Kabul
População 31.889.923

Casaquistão
Capital Astana
População 15.284.929

Quirguistão
Capital Bishkek
População 5.284.149

Tajiquistão
Capital Duchambe
População 7.076.598

Turcomenistão
Capital Ashkhabad
População 5.097.028

Uzbequistão
Capital Tashkent
População 27.780.059

Sul da Ásia p.46

Bangladesh
Capital Dacca
População 150.448.339

Butão
Capital Timphu
População 2.327.849

Índia
Capital Nova Délhi
População 1.129.866.154

Maldivas
Capital Male
População 369.031

Nepal
Capital Katmandu
População 28.901.790

Paquistão
Capital Islamabad
População 164.741.924

Sri Lanka
Capital Colombo
População 20.926.315

Ásia Oriental p.48

China
Capital Pequim
População 1.321.851.888

Japão
Capital Tóquio
População 127.433.494

Mongólia
Capital Ulan Bator
População 2.951.786

Coreia do Norte
Capital Pyongyang
População 23.301.725

Coreia do Sul
Capital Seul
População 49.044.790

Taiwan
Capital Taipei
População 22.858.872

Sudeste Asiático p.50

Brunei
Capital Bandar Seri Begawan
População 374.577

Mianmar
Capital Naypyidaw
População 47.373.958

Camboja
Capital Phnom Penh
População 13.995.904

Timor Leste
Capital Dili
População 1.084.971

Indonésia
Capital Jacarta
População 234.693.997

Laos
Capital Vientiane
População 6.521.998

Malásia
Capital Kuala Lumpur
População 24.821.286

Filipinas
Capital Manila
População 91.077.287

Cingapura
Capital Cidade de Cingapura
População 4.553.009

Tailândia
Capital Bangcoc
População 65.068.149

Vietnã
Capital Hanói
População 85.262.356

AUSTRALÁSIA E OCEANIA
Austrália p.52

Austrália
Capital Camberra
População 20.434.176

Ilhas do Pacífico p.54

Fiji
Capital Suva
População 918.675

Kiribati
Capital Bairiki
População 107.817

Ilhas Marshall
Capital Majuro
População 61.815

Micronésia
Capital Palikir
População 107.862

Nauru
Capital Não possui capital oficial
População 13.528

Palau
Capital Melekeok
População 20.842

Papua Nova Guiné
Capital Port Moresby
População 5.795.887

Samoa
Capital Ápia
População 214.265

Ilhas Salomão
Capital Honiara
População 566.842

Tonga
Capital Nukualofa
População 116.921

Tuvalu
Capital Funafuti
População 11.992

Vanuatu
Capital Porto-Vila
População 211.971

Nova Zelândia p.56

Nova Zelândia
Capital Wellington
População 4.115.771

ANTÁRTIDA p.59
O continente antártico é incomum: nele não há país nenhum, e ninguém consegue morar ali durante todo o ano porque faz muito frio.

Canadá
AMÉRICA DO NORTE

País

Canadá

Situado na América do Norte, este é o segundo maior país do mundo (o maior é a Federação Russa) em termos de extensão. Na região sul do Canadá, na região das Grandes Planícies, cultiva-se trigo e outros alimentos. Mais ao norte, estão as densas florestas de coníferas e vários lagos e rios. Perto do Ártico, há uma vasta área de tundra que se torna pantanosa durante o verão e, no trecho localizado no Ártico propriamente dito, o solo permanece constantemente congelado. O Canadá tem 33 milhões de habitantes e a maioria deles habita a região sul do país, numa faixa que se estende até uma distância de 160 quilômetros em relação à fronteira com os Estados Unidos. Nessa área, o clima é ameno e é fácil viajar de um lugar para outro. A população canadense descende sobretudo de europeus, que se instalaram no país no século XVI; há também os descendentes de nativos. O Canadá é rico em minerais e combustíveis fósseis, sendo a mineração uma atividade econômica importante. Outros setores da economia incluem pesca, agricultura, produção de máquinas, indústria automotiva, madeireiras e fábricas de papel.

A folha de bordo é o símbolo nacional do Canadá.

Lagos e florestas
No Canadá existem milhares de rios e lagos de água doce e quase a metade do território nacional é coberta por florestas. Os produtos derivados da madeira, principalmente papel e celulose, respondem por grande parte das exportações do país.

Castor
O castor é o maior roedor encontrado na América do Norte e pode chegar a 1,3 metro de comprimento. Com objetivo de se proteger de predadores, como lobos e ursos, os animais dessa espécie usam tocos de árvore, galhos e lama para construir pequenas represas próximas a rios. Em seguida, eles se abrigam em tocas às margens dessas represas.

Estados Unidos
AMÉRICA DO NORTE

País
Estados Unidos

Se considerarmos os estados do Alasca (na extremidade noroeste do Canadá) e do Havaí (no Oceano Pacífico), os Estados Unidos da América (EUA) se estendem por uma área que tem praticamente o mesmo tamanho de toda a Europa. O solo e o clima variam muito ao longo de todo o território desse país. Há desertos, montanhas, prados e pântanos. No Alasca, a neve é constante e as temperaturas chegam a -30 °C no inverno. No sudeste dos Estados Unidos, a temperatura raramente fica abaixo de 10 °C. A população, que ultrapassa 301 milhões de habitantes, é composta principalmente por descendentes de imigrantes de todo o mundo, sobretudo da Europa. Há ainda 2,4 milhões de descendentes de povos nativos. Os Estados Unidos são uma das nações mais ricas do planeta. No Texas e em Oklahoma, há enormes poços de gás e petróleo; Montana e Wyoming abrigam campos de minérios; e a Califórnia é um polo industrial de computadores, além produzir alguns dos melhores vinhos do mundo.

Desde que Henry Ford construiu seu primeiro veículo, em Detroit, em 1896, essa cidade é a capital da indústria automobilística dos Estados Unidos.

O ensolarado estado da Califórnia é responsável por metade de toda a produção de frutas, legumes e verduras dos Estados Unidos.

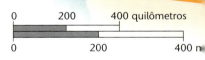

VOCÊ SABIA?
◆ O Grand Canyon, no Arizona, é uma das maravilhas naturais do planeta. Ele chega a 1.800 m de profundidade e foi esculpido pelo Rio Colorado ao longo de milhões de anos.

VOCÊ SABIA?
◆ O maior campo petrolífero dos Estados Unidos fica na Baía Prudhoe, no Alasca. Mas lá o solo permanece congelado durante boa parte do ano, o que dificulta a perfuração para a retirada de petróleo.

◆ As 16 montanhas mais altas dos Estados Unidos ficam no Alasca.

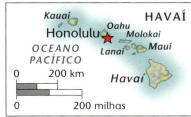

Monument Valley
Os grandes "morros" de Monument Valley, na fronteira entre os estados de Utah e Arizona, surgiram com a erosão da rocha macia que os envolvia. A erosão foi causada pela ação conjunta de rios, chuva e vento, num processo que levou milhões de anos. Originalmente, o solo da região ficava no mesmo nível que o topo dessas formações. A coloração avermelhada é provocada pelo óxido de ferro (ferrugem) presente no solo.

VOCÊ SABIA?
- A maior fronteira entre dois países é a que separa os Estados Unidos do Canadá, com 8.893 km de extensão, incluindo-se o limite com o território canadense.
- Os Estados Unidos são os maiores produtores de milho do mundo. A maior parte dessa produção provém da região das Grandes Planícies.

Além de ser um dos principais centros financeiros e culturais do mundo, o distrito de Manhattan, em Nova York, é famoso por seus enormes e impressionantes arranha-céus.

Águia-de-cabeça-branca
Esta imponente ave predatória é o símbolo nacional dos Estados Unidos e pode ser encontrada em todo o território desse país e também no Canadá. Quando suas asas estão plenamente abertas, a distância de uma extremidade a outra chega a 2,4 metros. Até recentemente, a espécie corria risco de extinção, mas agora está protegida por lei. Existem 70 mil aves desse tipo, e esse número vem crescendo.

Na bandeira dos Estados Unidos há 50 estrelas, uma para cada estado.

Programa espacial
Em Houston, no Texas, os Estados Unidos mantêm um dos mais ativos programas de voo espacial tripulado de todo o mundo. Um dos mais famosos locais de lançamento de naves espaciais é o Kennedy Space Center, situado próximo a Orlando, na Flórida.

Urso-pardo
No passado, esse enorme e vigoroso animal podia ser encontrado em diversas regiões dos Estados Unidos e do Canadá, principalmente nas florestas. Hoje em dia, restam nos Estados Unidos apenas cerca de mil ursos dessa espécie, os quais estão sob proteção legal.

América Central e Caribe

AMÉRICA DO NORTE

As Américas do Norte e do Sul são ligadas por uma estreita faixa de terra chamada América Central. A leste ficam as Grandes e as Pequenas Antilhas, também conhecidas como ilhas do Caribe. Por toda a América Central há montanhas e vulcões. Na região norte há desertos quentes e secos; no sul existem florestas tropicais. Nas ilhas do Caribe também se encontram florestas desse tipo, e o clima é igualmente tropical. A maioria dos habitantes da América Central descende de africanos, asiáticos e europeus; a pesca, bem como o cultivo de café e de diversas frutas são importantes atividades econômicas locais. A maior parte da renda do México vem da comercialização de petróleo e gás. O turismo e o cultivo de cana-de-açúcar são os setores que se destacam na economia caribenha.

Ilhas do Caribe
Santa Lúcia, Antígua e outras ilhas do mar do Caribe são destinos comuns para turistas em férias. Muita gente é atraída pelo calor tropical, pelo mar cristalino e pelas praias dessa região.

Canal do Panamá
Os Oceanos Pacífico e Atlântico se ligam pelo Canal do Panamá, que tem aproximadamente 80 quilômetros de extensão. Por meio desse canal, as embarcações que precisam navegar de uma costa da América do Norte a outra não precisam contornar o Cabo Horn, na América do Sul, e, assim, reduzem o trajeto em 15 mil km.

América do Sul
AMÉRICA DO SUL

O continente sul-americano abriga a Floresta Amazônica e a cordilheira dos Andes. O Rio Amazonas, o maior desse continente, tem aproximadamente 6.500 quilômetros de comprimento. O clima varia de tropical no norte a muito frio no sul – a extremidade sul do continente fica a apenas mil quilômetros da Antártida. Na região intermediária, as temperaturas são mais amenas. Há extensos campos abertos revestidos por gramíneas e conhecidos como pampas, onde existem lavouras e criações de gado. A área ao norte do continente é rica em petróleo e gás, principalmente na Venezuela. Mais ao sul, encontram-se cobre e minério de ferro. O café é o principal produto agrícola cultivado na América do Sul, sendo o Brasil o líder mundial no cultivo desse grão. Cacau, cana-de-açúcar e banana também são itens significativos. A maior parte da população descende de europeus, ameríndios e africanos.

Países
- Argentina
- Bolívia
- Brasil
- Chile
- Colômbia
- Equador
- Guiana
- Paraguai
- Peru
- Suriname
- Uruguai
- Venezuela

Salto Ángel
Situada na Venezuela, esta é a maior queda-d'água do mundo, com aproximadamente 1 km de altura – dezenove vezes mais alta que as Cataratas do Niágara, na fronteira entre os Estados Unidos e o Canadá.

VOCÊ SABIA?
◈ A Bolívia tem duas capitais: La Paz e Sucre. La Paz fica 3.600 m acima do nível do mar, o que a torna a capital de maior altitude em todo o mundo.

◈ O Equador é o país que mais exporta bananas.

◈ A Floresta Amazônica tem mais da metade do tamanho dos Estados Unidos.

◈ Nos pampas, as gramíneas podem chegar a 3 m de altura. Elas têm flores macias e folhas finas, longas e pontiagudas.

Muitos dos vegetais mais conhecidos mundialmente, como o tomate, a batata, o feijão e o milho, são originários da América do Sul.

Carnaval
Todo ano, antes da Páscoa, ocorre o Carnaval, a festa mais popular do Brasil. Por quatro dias, além do desfile das escolas de samba, sendo o mais tradicional o do Rio de Janeiro, acontecem bailes de carnaval, desfiles de blocos de rua e trios elétricos.

Floresta Amazônica
A Floresta Amazônica é a maior floresta tropical do planeta. Muitos cientistas acreditam que mais de um terço de todas as espécies animais e vegetais vivam nessa floresta. O desmatamento, as mudanças climáticas e as queimadas são fatores que podem ocasionar uma grande diminuição da área da floresta.

Onça-pintada
Por seu tamanho, a onça-pintada é um dos mamíferos mais fortes que existem, podendo matar presas até três vezes maiores do que ela. Esse animal escala, rastreia e nada muito bem, habilidades bastante úteis para quem vive na floresta.

África Setentrional

ÁFRICA

O continente africano é o segundo maior do mundo em tamanho (o primeiro é a Ásia). O norte da África, conhecido como África Setentrional, tem a maior parte de seu território ocupado pelo Saara, o maior deserto de todo o planeta. Por causa das condições climáticas desfavoráveis, essa região tem poucos habitantes. A maioria das pessoas que vivem na África Setentrional mora próximo à zona costeira ou às margens do Rio Nilo. Plantações de tâmara, sobreiro (de onde se extrai a cortiça), uva e azeitona são encontradas mais ao norte, enquanto ao sul são produzidos cacau, amendoim e óleo de palma. Em diversas regiões existem fábricas têxteis, sobretudo no norte, onde se tecem tapetes. Na Líbia, há grandes depósitos de petróleo e gás natural. No Egito, na Tunísia e no Marrocos, o turismo é um importante setor da economia.

Países

- Argélia
- Benin
- Burkina Faso
- Cabo Verde
- Camarões
- Chade
- Costa do Marfim
- Djibuti
- Egito
- Eritreia
- Etiópia
- Gâmbia
- Gana
- Guiné
- Guiné-Bissau
- Libéria
- Líbia
- Mali
- Marrocos
- Mauritânia
- Níger
- Nigéria
- República Centro-Africana
- Saara Ocidental
- Senegal
- Serra Leoa
- Somália
- Sudão
- Sudão do Sul
- Togo
- Tunísia

VOCÊ SABIA?

◈ Na África Setentrional, há minas de urânio, diamante e ouro, além de reservas de petróleo e gás natural.

VOCÊ SABIA?

◈ Metade do cacau produzido em todo o mundo é cultivado na África Setentrional, apesar de esse grão ser originário da América do Norte.

Feneco

Este mamífero adapta-se bem à vida no deserto árido. Seu pelo cor de areia o ajuda a esconder-se de predadores. Por eliminar suor através de suas enormes orelhas, o feneco consegue manter sua temperatura corporal. Normalmente, sai para caçar à noite, quando faz menos calor.

Tunísia · Argélia · Marrocos · Saara Ocidental · Mauritânia · Mali · Cabo Verde · Senegal · Gâmbia · Guiné-Bissau · Guiné · Serra Leoa · Libéria · Costa do Marfim · Burkina Faso · Gana · Togo · Benin · Nigéria

OCEANO ATLÂNTICO · Mar · ARGEL · TÚNIS · Tânger · Orã · Constantina · Sfa · RABAT · Casablanca · MARROCOS · Marrakesh · MONTANHAS ATLAS · TUNÍSIA · ARGÉLIA · LAAYOUNE · SAARA OCIDENTAL · Trópico de Câncer · AHAGGA · DESERTO · MAURITÂNIA · MALI · NÍGE · Agadez · NUAKCHOTT · SENEGAL · SAHE · DACAR · BAMAKO · NIAMEI · GÂMBIA · BANJUL · OUAGADOUGOU · BISSAU · BURKINA FASO · NIGÉR · GUINÉ-BISSAU · GUINÉ · COSTA DO MARFIM · ABUJA · CONACRI · YAMOUSSOUKRO · BENIN · TOGO · GANA · FREETOWN · SERRA LEOA · PORTO NOVO · MONRÓVIA · Lagos · LIBÉRIA · Abidjan · ACRA · LOMÉ · Golfo da Guiné · Douala · YAOUN · GUINÉ EQUATOR · PRAIA · CABO VERDE

0 400 800 quilômetros

0 400 800 milhas

12

28

África Meridional
ÁFRICA

O sul do continente africano, conhecido como África Meridional, apresenta diferentes climas. Na Bacia do Congo, o clima é quente e úmido; nesse local está a segunda maior floresta tropical do mundo (a primeira é a Floresta Amazônica, na América do Sul). Mais a leste e ao sul, há regiões florestais mais secas que se mesclam às savanas, uma mistura de pradarias e selvas abertas. É nessas áreas que se encontram os animais africanos mais conhecidos. Ainda mais ao sul fica o Deserto da Namíbia, um dos lugares mais quentes e secos do planeta, com temperaturas acima de 50 °C durante o dia. Na África Meridional existem centenas de tribos e dialetos diferentes. O Deserto do Kalahari, em Botswana, abriga um dos poucos grupos de caçadores-coletores que ainda existem no mundo: são os boxímanes ou hotentotes, também conhecidos como povo khoisan. No século XIX, grandes reservas de ouro e diamante foram encontradas na África do Sul, o que ajudou esse país a tornar-se a nação mais poderosa da África Meridional.

Países
- África do Sul
- Angola
- Botswana
- Burundi
- Comores
- Congo
- Gabão
- Guiné Equatorial
- Lesoto
- Madagascar
- Malawi
- Maurício
- Moçambique
- Namíbia
- Quênia
- R. D. do Congo
- Ruanda
- São Tomé e Príncipe
- Seychelles
- Suazilândia
- Tanzânia
- Uganda
- Zâmbia
- Zimbábue

Muitos alimentos são cultivados na África Meridional, incluindo frutas cítricas e uva. A maior parte da produção é exportada.

 Guiné Equatorial Congo

Cataratas Vitória
Mundialmente conhecida como Victoria Falls, esta famosa queda-d'água localiza-se no Rio Zambezi, na fronteira entre Zâmbia e Zimbábue, e tem 108 m de altura e 1,7 km de extensão. O primeiro europeu a avistá-la, em 1855, foi David Livingstone, que a nomeou em homenagem à rainha Vitória, da Inglaterra. Os nativos a chamam de "a fumaça que troveja", por causa do forte barulho e do nevoeiro que ela produz.

Animais selvagens
Elefantes, rinocerontes, leões, leopardos e búfalos são conhecidos como os cinco animais mais procurados pelos turistas que visitam a África. Muitas espécies estão em risco de extinção e são protegidas por lei. Esses animais, considerados os mais perigosos que existem, eram alvos de caça esportiva, mas hoje estão na mira apenas de máquinas fotográficas.

VOCÊ SABIA?
◈ Há duas espécies de elefante na África: uma vive na savana, e a outra, menor, habita em florestas tropicais.

◈ Metade de todo o diamante existente no mundo é originária da África Meridional.

 São Tomé e Príncipe

 Gabão

 Angola

 Namíbia

Botswana

CIDADE DO CABO
Cabo da Boa Esperança

África do Sul

Norte da Europa
EUROPA

Noruega, Suécia e Dinamarca compõem a região conhecida como Escandinávia. Estônia, Letônia e Lituânia são chamados Países Bálticos. Esses seis países, mais a Finlândia e a Islândia, são os que se situam na porção norte da Europa. Durante os longos e gelados invernos na região, o Sol aparece apenas durante algumas poucas horas do dia. A maioria dos escandinavos mora nos territórios ao sul e no litoral. Ao longo de toda a Escandinávia existem florestas de cujas árvores se extrai madeira para a fabricação de móveis e papel. O minério de ferro é usado na produção de aço, e a água de rios e lagos gera energia em usinas hidrelétricas. Há abundância de peixes nas regiões costeiras e, por isso, em todos esses países a pesca é uma atividade econômica importante.

Países
- Dinamarca
- Estônia
- Finlândia
- Islândia
- Letônia
- Lituânia
- Noruega
- Suécia

Lapônia
A área mais ao norte da Escandinávia é conhecida como Lapônia, onde habita o po *sami*. Esse povo descende de nômades que viveram nessa região por milhares de anos. Alguns *sami* ainda criam renas, das quais aproveitam o leite, a carne e a pele.

Esquilo-vermelho
O esquilo-vermelho pode ser encontrado em todo o norte da Europa. Apesar do nome, pode ter cor preta, castanha ou avermelhada; o peito e a barriga são mais claros. Nas florestas da Escandinávia também há outros mamíferos, como os ursos-pardos, os alces e os lobos.

VOCÊ SABIA?
- Na Dinamarca estão algumas das praias mais extensas da Europa.
- Muitas palavras inglesas vêm de dialetos escandinavos. "Garden" significa "Farm" em dinamarquês, e os jardins na Inglaterra Medieval tinham muitos vegetais.

Boa parte dos dois terços das terras dinamarquesas destina-se à criação de porcos e ao cultivo de alimento para esses animais.

Fiordes noruegueses
Fiordes são vales longos, profundos e escarpados desenhados entre as montanhas durante o derretimento de geleiras, há mais de 150 mil an Esse derretimento provocava a elevação do nível mar e a água, então, inundava os vales. A cada os fiordes recebem milhares de turistas que apre o belo cenário local.

VOCÊ SABIA?
- A Finlândia tem mais de 188 mil lagos e três quartos do país são cobertos por florestas.
- A Noruega foi considerada o país mais pacato do mundo, conforme o Índice de Paz Mundial divulgado em 2007.
- A moeda nacional da Estônia é chamada de kroon, com a abreviação EEK.

Construções de madeira
A madeira é um material muito importante para os países do norte europeu. Ao longo dos séculos, ela foi usada como fonte de energia, como matéria-prima de móveis e brinquedos e também na construção de casas e igrejas. Há tantas árvores nessa região que, ainda hoje, muitas casas e prédios públicos são construídos com esse material.

32

Europa Ocidental
EUROPA

Países
- Andorra
- Bélgica
- Espanha
- França
- Holanda
- Irlanda
- Luxemburgo
- Mônaco
- Portugal
- Reino Unido

O trecho da Europa que fica mais distante da Ásia é conhecido como Europa Ocidental. Nessa região, os países mais ao norte apresentam clima ameno e levemente úmido. Conforme se avança para o sul, o clima vai ficando mais quente. No sul da França, na Espanha e em Portugal, é comum os termômetros ultrapassarem a marca de 30 °C no verão. O solo é adequado para diversos tipos de plantação. A Espanha produz laranjas, e a Holanda, flores; trigo e batata são cultivados por toda a Europa Ocidental. Muitos países também cultivam uvas para a produção de vinho, principalmente França, Espanha e Portugal. A maioria das pessoas vive em grandes cidades. A parte ocidental da Europa é bastante procurada como destino de férias, e o turismo é uma importante atividade econômica local.

Raposas
As raposas, que pertencem à família dos cães, são encontradas em toda a Europa e conseguem viver tanto em cidades e vilarejos como em zonas rurais. Elas se alimentam de quase tudo: minhocas, frutas, insetos, pequenos mamíferos e até lixo doméstico.

VOCÊ SABIA?
◇ Três países europeus são chamados de principados por serem governados por príncipes ou princesas. São eles: Andorra, Liechtenstein e Mônaco.

O trem mais rápido do mundo é o francês TGV (sigla para *Train Grande Vitesse*, trem de grande velocidade), que viaja a uma velocidade média de 300 km/h. Durante um teste, uma dessas composições chegou a 574,8 km, um recorde entre os trens que correm sobre trilhos comuns.

VOCÊ SABIA?
◇ Os habitantes de Andorra são os que apresentam maior expectativa de vida em todo o mundo: 83,5 anos em média.

◇ Cinco por cento da população da Holanda vem da América do Sul, Indonésia e Caribe, locais onde havia colônias holandesas.

Costa Brava
O litoral nordeste da Espanha, conhecido como Costa Brava, estende-se por 160 quilômetros às margens do Mar Mediterrâneo. O lugar é famoso por suas praias de água morna. Também é um importante local de plantação de sobreros, que fornecem cortiça para produtores de vinho de todo o mundo.

A França produz mais de 500 tipos de queijo, incluindo o *brie* e o *roquefort*.

London Eye
Todos os anos, Londres recebe milhões de turistas atraídos por sua história, seus teatros e seus pontos turísticos, como o Big Ben e o London Eye, a maior roda-gigante do mundo, com 135 m de altura. Cerca de 3,5 milhões de pessoas visitam essa atração para apreciar a paisagem do alto, de onde é possível avistar uma distância de até 40 km.

VOCÊ SABIA?
◇ Portugal é o país que tem a maior produção de tomate do mundo: mais de 1 milhão de toneladas por ano.

◇ O extremo sul da Espanha fica a apenas 13 km de distância da África.

◇ A Bélgica é famosa por sua produção de chocolate, que atinge 172 mil toneladas por ano.

As uvas nascem de plantas chamadas videiras, e os locais onde se produz vinho são chamados vinícolas.

Europa Central
EUROPA

A parte central da Europa se estende desde o Mar Báltico até o Mar Mediterrâneo. O inverno nas áreas mais ao norte costuma ser bem rigoroso, mas o clima fica mais ameno à medida que se avança para o sul. Na Alemanha e na Polônia, os setores mais expressivos são a mineração, a agricultura e a indústria em geral. Nesses países, cultiva-se batata e cevada e são mantidas criações de porcos e cabras. Mais para o sul, sobretudo na Itália, há lavouras de frutas cítricas, uva e azeitona. Muitos rios de grande extensão, como o Reno e o Danúbio, percorrem longos trechos da Europa Central e são usados como via de transporte de mercadorias. Uma grande cadeia de montanhas conhecida como Alpes estende-se pela França, Suíça, Áustria e Itália.

Países

- Alemanha
- Áustria
- Eslováquia
- Eslovênia
- Itália
- Liechtenstein
- Malta
- Polônia
- República Tcheca
- San Marino
- Suíça
- Vaticano

Alpes
Esta cordilheira tem por volta de 1.200 km de extensão e ocupa principalmente territórios da França, Suíça, Áustria e Itália. Muitos visitam os Alpes para praticar escalada, caminhada e esqui. Ali nascem os principais rios da Europa, como o Reno, o Ródano e o Pó.

VOCÊ SABIA?
◆ O linhito é principal combustível da Europa Central e um dos mais importantes itens de exportação da Polônia. Por conter boa quantidade de enxofre, a produção de energia por meio de sua combustão polui o ar e leva à formação de chuva ácida.

◆ Há vários fabricantes de carros na Itália, país que tem o maior índice de automóveis por pessoa.

Carros da marca Lamborghini estão entre os automóveis mais rápidos e mais caros do mundo.

VOCÊ SABIA?
◆ A Alemanha produz a quantidade suficiente de alimentos básicos (como grãos, açúcar, óleos, leite e carne) para prover a população.

Vaticano
O Vaticano fica em Roma, na Itália. É o menor país do mundo e ocupa uma área de apenas 440 mil metros quadrados. Ali estão a Basílica de São Pedro e o Palácio Apostólico, onde mora o papa.

VOCÊ SABIA?
◆ O ponto mais alto dos Alpes, com 4.807 m de altura, é conhecido como Mont Blanc e fica entre a Itália e a França.

◆ De origem italiana, massas e pizzas são apreciadas no mundo todo.

O tomate e o manjericão – usados nas pizzas, por exemplo – são dois ingredientes importantes da culinária italiana.

Íbex alpino
O íbex é um tipo de cabra selvagem robusta e imponente que habita no alto dos Alpes. No século XIX, sua caça quase o levou à extinção, mas hoje o número de íbices vem crescendo.

Parques nacionais
Na Europa Central existem vários parques nacionais, como o Triglav, na Eslovênia. Nele fica a montanha Triglav, o pico mais alto desse país. O parque também abriga bosques de faias e abetos e animais como camurças e linces.

Sudeste da Europa
EUROPA

Grande parte dessa região é montanhosa, embora existam áreas cultiváveis e planas ao norte e a leste. A agricultura é uma atividade importante nos países do sudeste europeu, onde se cultivam, por exemplo, uvas, tabaco, rosas e trigo. No norte, os invernos são bem rigorosos. Mais ao sul e nas áreas próximas ao litoral, os invernos são mais amenos e os verões, quentes e secos. Nos últimos trinta anos, em virtude de problemas políticos, étnicos e religiosos, muitas guerras e transformações ocorreram no sudeste da Europa. Nos anos 1990, Ucrânia, Bielorrússia e Moldávia tornaram-se independentes da antiga União Soviética. A ex-Iugoslávia dividiu-se nas seguintes repúblicas: Croácia, Sérvia, Bósnia e Herzegovina, Macedônia e Montenegro. Depois de anos de conflito, algumas regiões ainda se recuperam desses confrontos.

Países
- Albânia
- Bielorrússia
- Bósnia e Herzegovina
- Bulgária
- Croácia
- Grécia
- Hungria
- Macedônia
- Moldávia
- Montenegro
- Romênia
- Sérvia
- Ucrânia

Boa parte da produção mundial de óleo de rosas vem da Bulgária.

VOCÊ SABIA?
◇ A Romênia é o país com o maior percentual de fumantes de toda a Europa.
◇ As águas vindas das fontes termais de Budapeste atingem mais de 90 °C. É preciso misturá-las a águas frias antes de usá-las.

Dubrovnik
Dubrovnik, na Croácia, é rodeada por 1.940 m de muros construídos há mais de quatrocentos anos. As diversas torres e fortalezas instaladas ao longo desses muros tornam a cidade uma das mais fortificadas de toda a Europa.

Budapeste
Budapeste, capital da Hungria, localiza em uma área de falha geológica. Nessa cidade, existem mais de 120 fontes que jorram águas naturalmente aquecidas. Há quase 2 mil anos as pessoas visitam *spas* e balneários construídos em torno dessas fontes termais.

VOCÊ SABIA?
◇ O vasto Lago Prespa ocupa uma área de 274 km² situada, em sua maioria, na Macedônia, mas também na Albânia e Grécia. É alimentado por correntes subterrâneas e ligado por canais no subsolo ao Lago Ohrid, que é ainda maior: seus 358 km² estendem-se pela Macedônia e Albânia.

Javali
Nas florestas do sudeste asiático há livre circulação de javalis, animais de hábitos noturnos que buscam por alimentos desde o anoitecer até a alvorada. Os javalis vivem em bandos denominados "varas", formados por até vinte animais. Nesses grupos há de três a quatro fêmeas, sendo os demais seus filhotes.

O fruto e o óleo da azeitona são importantes itens de exportação da Grécia, que a produz há mais de 2 mil anos. Ela é ingrediente essencial em pratos como a salada grega.

Acrópole
A capital da Grécia foi nomeada Atena em homenagem à deusa Atena, da mitologia grega. O Partenon, principal templo dessa divindade, foi construído no século V a.C., na região mais elevada da capital, chamada Acrópole (termo grego para "cidade alta").

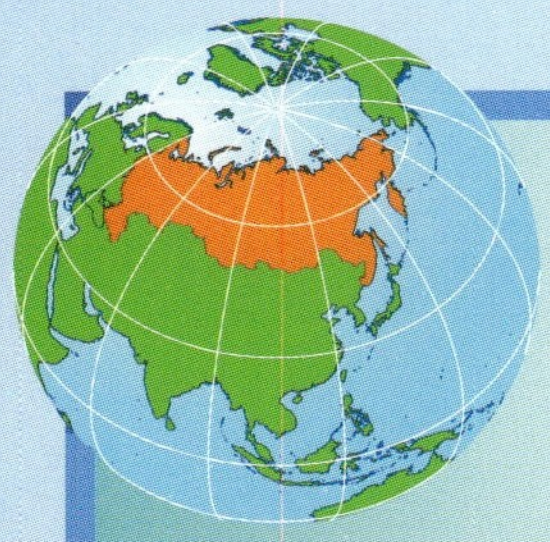

Federação Russa

EUROPA E ÁSIA

A Federação Russa é o maior país do mundo e se estende por dois continentes. A área situada a oeste dos Montes Urais pertence à Europa; e o território a leste dessa cordilheira pertence à Ásia. O clima da Rússia é bastante variado, indo desde o frio ártico ao norte a temperaturas amenas no sul. Mais de três quartos do país são ocupados pela região conhecida como Sibéria; porém, menos de 30% da população vive nesse local, pois ali os invernos são muito longos e rigorosos. A Sibéria abriga imensos campos de petróleo e gás natural. Na Rússia há grandes extensões de áreas cultiváveis e ricas reservas minerais. Os principais itens de exportação desse país são o petróleo e seus subprodutos, gás natural, metais, madeira e seus derivados. A maioria da população é propriamente russa, mas há mais de 120 grupos étnicos, com diferentes culturas, línguas e crenças religiosas.

País

Federação Russa

Catedral de São Basílio

Em Moscou localiza-se uma das mais famosas edificações do mundo: a Catedral de São Basílio. Instalado na Praça Vermelha, esse edifício foi erguido sob ordem do tsar Ivan IV, o Terrível. A construção levou cinco anos, sendo finalizada em 1560. Trata-se de oito diferentes templos, unidos por uma torre central.

VOCÊ SABIA?

◇ Com 1.620 m de profundidade, o Baikal é o lago mais fundo do planeta e o de água doce mais antigo do mundo.

◇ A Rússia tem duas grandes companhias de balé clássico: Bolshoi e Mariinsky (antes chamado Kirov), ambas prestigiadas em várias partes do mundo.

Tigre

O tigre corre risco de extinção. Seu *habitat* vem sendo destruído e várias partes do seu corpo são alvo de caçadores para uso na medicina tradicional chinesa. Restam cerca de 500 dessa espécie na natureza.

Renas
Na região de tundra próxima ao Círculo Polar Ártico há grandes rebanhos de renas. A criação desses animais ocupa boa parte do tempo dos habitantes do norte da Rússia, que usam as renas para transporte, alimentação, vestuário e moradia.

Reservas minerais
Situada em Mirny, na Sibéria, esta reserva de diamantes é a maior do mundo. A mineração é um setor importante da economia russa, e há depósitos minerais por todo o país que abrigam outras riquezas naturais, como níquel, minério de ferro, cobre, fosfatos, cobalto e ouro.

Grou siberiano
Sob sério risco de extinção, este grou habita as regiões pantanosas da Sibéria, que vêm sendo destruídas pela exploração de campos petrolíferos e o desenvolvimento local.

VOCÊ SABIA?
◈ São necessários sete dias para ir de Moscou até Vladivostok, no extremo sudeste da Rússia, pela Ferrovia Transiberiana. O trem atravessa quatro fusos horários.

◈ Criadas em 1890, as bonecas de madeira russas dispostas uma dentro da outra são um dos suvenires mais populares.

VOCÊ SABIA?
◈ A culinária russa é famosa por suas sopas exóticas, como o *borscht*, feito com beterrabas e repolho.

◈ Florestas e bosques cobrem mais de um terço do território da Rússia.

41

Sudoeste Asiático
ÁSIA

Quase todo o sudoeste da Ásia é coberto por desertos. As temperaturas podem ser bem superiores a 30 °C no verão, com pouquíssima incidência de chuva. Embora o clima seja quente e seco, esta região é habitada há mais de 7 mil anos. Três das religiões mais importantes do mundo originaram-se aqui: o Cristianismo, o Islamismo e o Judaísmo. Por milhares de anos, o sudoeste asiático foi assolado por guerras, e os conflitos persistem ainda hoje, muitos deles motivados por disputa de terras ou divergências religiosas. A maior fonte de renda dos países aqui instalados vem do gás natural e do petróleo, produto responsável pela riqueza dos estados árabes. O turismo é uma atividade significativa em diversos países, como Israel e Turquia. Esta, assim como o Irã, é famosa pelos tapetes que exporta para todo o mundo.

Países
- Arábia Saudita
- Armênia
- Azerbaijão
- Barein
- Catar
- Chipre
- Emirados Árabes Unidos
- Geórgia
- Iêmen
- Irã
- Iraque
- Israel
- Jordânia
- Kuwait
- Líbano
- Omã
- Síria
- Turquia

Meca
A Caaba, templo no interior da Mesquita Sagrada de Meca, na Arábia Saudita, é considerada pelos muçulmanos o lugar mais sagrado da Terra. Todos os muçulmanos fisicamente sadios e financeiramente capazes devem peregrinar até esse local pelo menos uma vez na vida.

Berinjelas, damascos, pistaches e nozes são importantes itens cultivados nesta região.

Petra
A antiga cidade de Petra, na Jordânia, situa-se num vale estreito e desértico. Muitas das construções locais foram esculpidas em rochas únicas. Esta cidade repleta de ruínas, que já foi a capital do império árabe, é um destino turístico bastante popular.

Órix da Arábia
Já considerado extinto (devido à caça predatória), esse antílope foi reintroduzido nas terras áridas de Omã graças a um programa internacional de criação assistida em zoológicos. Hoje, há duas grandes manadas desse animal vivendo livremente na região.

VOCÊ SABIA?
◇ A localidade mais baixa do planeta que não é coberta por gelo fica próxima ao Mar Morto, um grande lago situado 400 m abaixo do nível do mar.

◇ A Turquia é um dos poucos países autossuficientes quanto à produção de alimentos. Metade das terras turcas é destinada à agricultura.

Dubai
Quando foi inaugurado, em 1999, o hotel Burj al-Arab, em Dubai, nos Emirados Árabes Unidos, era o mais alto do mundo. O edifício tem 321 m de altura e abriga um heliporto em seu 28º andar. Esse hotel, localizado em uma ilha artificial, foi projetado para assemelhar-se a um grande veleiro.

Ásia Central
ÁSIA

Os montes Pamir, no sudeste desta região, formam a segunda cordilheira mais alta do mundo, perdendo apenas para o Himalaia. O Quirguistão e o Tajiquistão e grande parte do Afeganistão também são territórios cobertos por montanhas. Por sua vez, o Casaquistão tem pradarias extensas. Mais ao sul, Uzbequistão e Turcomenistão abrigam vastos desertos arenosos. A Ásia Central não apresenta áreas litorâneas, embora nela se localize um grande lago, o chamando Mar Cáspio. No centro da Ásia a chuva é escassa e os invernos e verões caracterizam-se por temperaturas extremas. Não há muitas metrópoles e a maioria das pessoas mora em zonas rurais. Boa parte da agricultura local ocorre em vales férteis ao longo de rios situados no pé das montanhas e no Casaquistão. Entre os principais itens cultivados incluem-se: algodão, pêssego, melão e damasco. A Ásia Central dispõe de amplas reservas de petróleo, carvão e gás natural e de minerais como ferro e cobre. Além das atividades econômicas mais tradicionais, algumas áreas se especializaram na confecção de tapetes e na fabricação de objetos em couro.

Países
- Afeganistão
- Casaquistão
- Quirguistão
- Tajiquistão
- Turcomenistão
- Uzbequistão

VOCÊ SABIA?
◈ A faixa de pradarias ao longo do Casaquistão é denominada estepe, palavra que em russo significa "planície".

◈ Na Ásia Central há imensas reservas de carvão mineral, usadas em centrais elétricas.

VOCÊ SABIA?
◈ O Mar Cáspio, na porção ocidental dessa região, é o maior lago de água salgada do planeta, estendendo-se por 371 mil km² e banhando cinco países: Rússia, Casaquistão, Irã, Turcomenistão e Azerbaijão.

Mar de Aral
Desde 1960, o Mar de Aral – que inicialmente ocupava uma área de 68 mil km² – já foi reduzido a um quarto de seu tamanho original. Isso porque os rios que o alimentam vêm sendo desviados para fins de irrigação. Velhas embarcações que costumavam navegar nesse lago agora permanecem sobre a terra seca.

Samarcanda
Esta cidade é uma das mais antigas da Ásia Central. Nela ficam algumas das mais belas edificações dessa região, incluindo várias escolas islâmicas, denominadas madraçais. Construído no início do século XVII, o prédio da escola de Shir-Dar (ver foto) é revestido por milhões de azulejos.

Leopardo-das-neves
Encontrado nas altas montanhas da Ásia Central, este grande felino tem pelos abundantes e volumosos, os quais atingem até 10 cm de comprimento.

Sul Asiático
ÁSIA

Países
- Bangladesh
- Butão
- Índia
- Maldivas
- Nepal
- Paquistão
- Sri Lanka

Esta região, também chamada subcontinente indiano, separa-se do restante da Ásia pela cordilheira do Himalaia, cujo topo permanece constantemente coberto por neve. No sul, há vastas florestas tropicais, enquanto o oeste apresenta grandes áreas desérticas. A Índia tem o típico clima de monções: de março a junho o tempo fica quente e seco; a estação mais úmida vai de junho a setembro e registra chuvas abundantes, sendo comum a ocorrência de inundações; de outubro a fevereiro, o clima é frio e seco. Mais de um quinto da população mundial mora nessa região. Séculos de invasões e ocupações fizeram que os habitantes do sul asiático desenvolvessem uma rica variedade de culturas e crenças religiosas, além de milhares de dialetos. Cerca de dois terços da população exerce atividade agrícola; mas a maioria das lavouras destina-se apenas ao sustento familiar. Nas áreas mais úmidas a leste e oeste, cultiva-se arroz; plantações de painço e milho são encontradas nas zonas centrais mais altas. O chá é um importante item cultivado na região, sobretudo no sudoeste da Índia e no Sri Lanka.

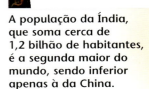

A população da Índia, que soma cerca de 1,2 bilhão de habitantes, é a segunda maior do mundo, sendo inferior apenas à da China.

Paquistão

VOCÊ SABIA?
◆ Bangladesh é um dos países com maior densidade demográfica, sendo sua população uma das mais pobres do planeta. A maioria das pessoas cultiva seu próprio alimento.

◆ Há mais de 270 espécies de serpentes na Índia e aproximadamente 50 delas são venenosas, como esta cobra-real.

Quando se sente ameaçada, e cobra ergue a [parte] frontal de seu c[orpo,] dilatando o pes[coço.]

Bollywood
A indústria cinematográfica indiana, conhecida como Bollywood e sediada em Bombaim, é muito próspera. Seus filmes exibem fantásticas sequências de música e dança, além de cenas com lutadores ágeis e belos heróis e heroínas.

VOCÊ SABIA?
◆ Mais de duzentas pessoas já morreram tentando escalar o Monte Everest, e a cada ano este número aumenta.

◆ O Rio Ganges é louvado como uma divindade pelos seguidores do Hinduísmo.

◆ Bollywood produz cerca de 800 filmes ao ano.

Taj Mahal
O imperador mongol Shah Jahan comandou a construção do belo Taj Mahal em Agra, na Índia, em memória de sua esposa predileta, Mumtaz Mahal. O edifício levou 22 anos para ser construído, sendo finalizado em 1648. O Taj Mahal possui quatro prédios, um dos quais abriga uma tumba onde foram sepultados os corpos de Shah Jahan e Mumtaz Mahal.

Plantações de chá
O Sri Lanka e algumas áreas da Índia apresentam clima ideal para o cultivo de chá. Na colheita dessa planta, selecionam-se as folhas mais jovens, que são murchas, oxidadas, prensadas e desidratadas para formar a matéria-prima dessa popular bebida.

Ásia Oriental

ÁSIA

A paisagem de grande parte do continente asiático é formada por altas montanhas, desertos e áreas de estepes. Em algumas regiões mais isoladas, os povoados são bem distantes uns dos outros e as condições climáticas são rigorosas. No sudeste, há desde terrenos montanhosos até vastas planícies com rios largos. A leste fica o Japão, cujo relevo é bastante acidentado, com diversas montanhas. Apesar de esse país ser um dos mais ricos do mundo, ele não dispõe de muitos recursos naturais, o que o obriga a importar diversos itens de consumo. O Japão também é conhecido por produzir equipamentos eletrônicos de última geração. Além dos japoneses, hoje os chineses e os sul-coreanos também têm uma economia bem desenvolvida.

Países
- China
- Coreia do Norte
- Coreia do Sul
- Japão
- Mongólia
- Taiwan

VOCÊ SABIA?
◈ Comparada a todas as demais cidades do mundo, Tóquio, capital do Japão, é a que tem maior número de habitantes.

◈ Embora apenas 15% de seu território seja cultivável, o Japão produz arroz suficiente para alimentar sua população.

China

Grande Muralha da China
Esta é uma das maiores estruturas do mundo e pode ser vista até do espaço. Ela se estende das proximidades do litoral norte da China até o interior do país, cruzando a região setentrional. A construção desta muralha – criada para proteger o território de invasores do norte, como os mongóis – começou em 220 a.C. e terminou dez anos depois.

VOCÊ SABIA?
◈ A língua oficial da China é o mandarim. O número de falantes desse idioma supera o de qualquer outra língua do mundo.

◈ Mais de um quinto da população mundial vive na China, a maioria no sudeste do país.

◈ Em algumas regiões da Mongólia, a temperatura chega a –59 °C, ou seja, faz tanto frio quanto no Ártico.

Medicamentos fitoterápicos tradicionais, como as bagas de goji, são usados na China há mais de 4.500 anos.

Panda-gigante
Este é um dos animais com maior risco de extinção do mundo. Restam apenas cerca de 1.600 indivíduos na natureza. Os pandas são classificados como carnívoros, mas 99% de sua dieta é composta de bambu. Eles vivem em bambuzais na China central e alimentam-se por cerca de 15 horas ao dia.

48

Iaque
No Platô Tibetano habitam os iaques, bois selvagens com até 2 m de altura, considerando-se seu dorso. Sua pelagem grossa os mantém aquecidos em meio ao frio intenso.

Monte Fuji
No majestoso vulcão conhecido como Monte Fuji está o ponto mais alto do Japão, com 3.776 m de altitude. Esse monte é um dos símbolos do país e já inspirou diversos artistas e escritores ao longo de milênios.

O sushi é um famoso prato japonês feito com arroz, alga e peixe.

Xangai
Além de abrigar um grande porto, Xangai tem os maiores centros industriais e comerciais da China. A população local vem crescendo graças à vinda de chineses de outras regiões, atraídos pelo progresso e pelas ofertas de emprego. Hoje, há mais de 17 milhões de habitantes em Xangai.

49

Países

- Brunei
- Camboja
- Cingapura
- Filipinas
- Indonésia
- Laos
- Malásia
- Mianmar
- Tailândia
- Timor Leste
- Vietnã

VOCÊ SABIA?

◈ Os rubis extraídos das minas de Mianmar são tidos como os mais preciosos do mundo

◈ Em Cingapura, é ilegal vender goma de mascar e jogar lixo na rua.

◈ Nas Filipinas, algumas plantações de arroz com mais de 2 mil anos ainda são produtivas.

Orangotangos

Estes mamíferos, os únicos macacos de grande porte encontrados na Ásia, correm sério risco de extinção. Seu *habitat* vem sendo destruído e os animais mais jovens são comercializados como bichos de estimação. Os orangotangos se alimentam principalmente de frutas, mas também comem folhas, brotos, insetos e, eventualmente, ovos e pequenos animais.

VOCÊ SABIA?

◈ No Cambodja está o maior monumento religioso do mundo, o Angkor Wat, que data do ano 1113. Somente 600 anos após sua construção o Angkor Wat tornou-se conhecido pelo Ocidente, quando Henri Mouhot o visitou em 1861, e escreveu sobre ele.

Cingapura

Cingapura é uma cidade-estado formada por uma ilha principal (Cingapura) e 62 outras menores. Ali há o maior porto do sudeste asiático, uma das refinarias de petróleo mais importantes do mundo e uma empresa líder mundial na fabricação e manutenção de navios. O setor de tecnologia também se destaca.

VOCÊ SABIA?

◈ Para celebrar boa colheitas, lavradores na Malásia realizavam concursos de pipas; hoje há um grande festival todos os anos.

Arrozais

Por todo o sudeste da Ásia há arrozais, cujo cultivo requer muita água e calor – condições climáticas comuns nessa região. Nessas plantações, cada canteiro é delimitado por um muro baixo, de forma que a água se acumule no local. Em terrenos inclinados, os arrozais são dispostos em plataformas.

VOCÊ SABIA?

◈ Gatos siameses são originários da Tailândia, que antes se chamava Sião.

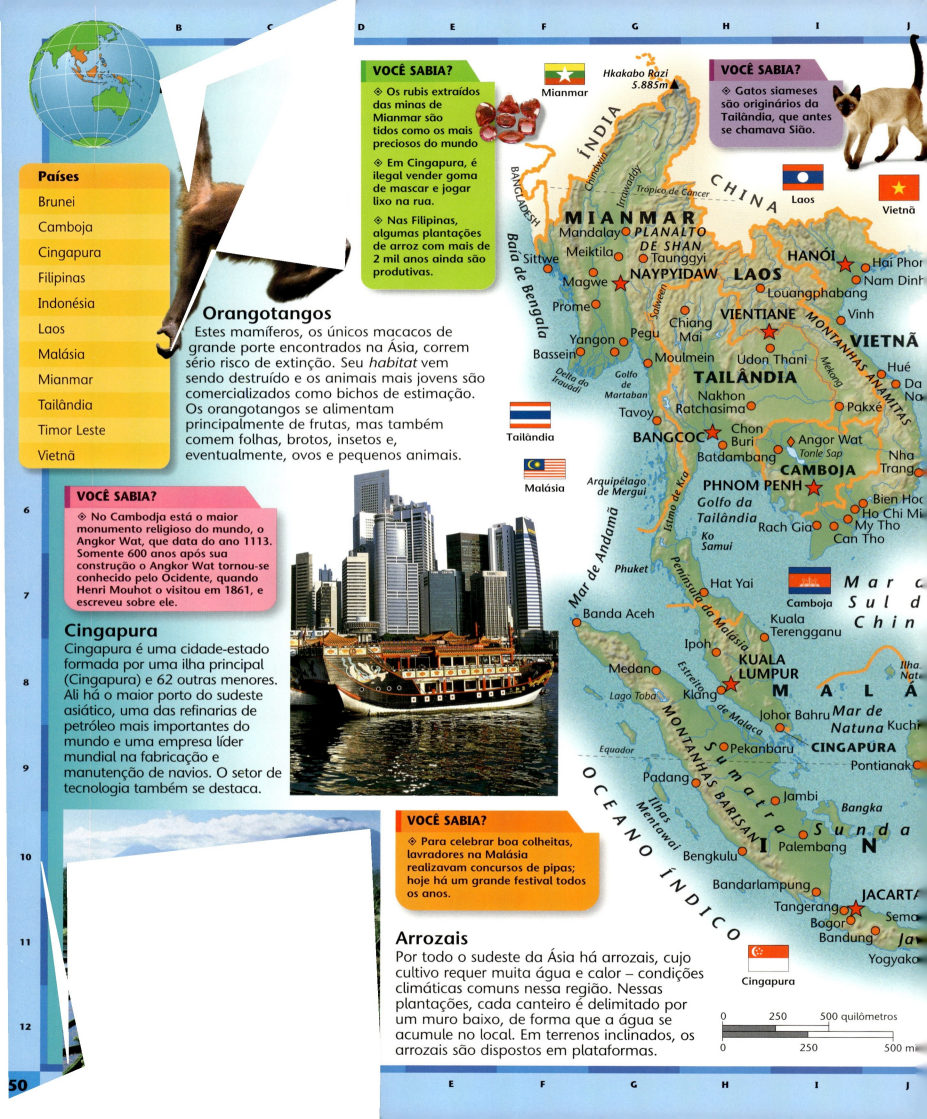

50

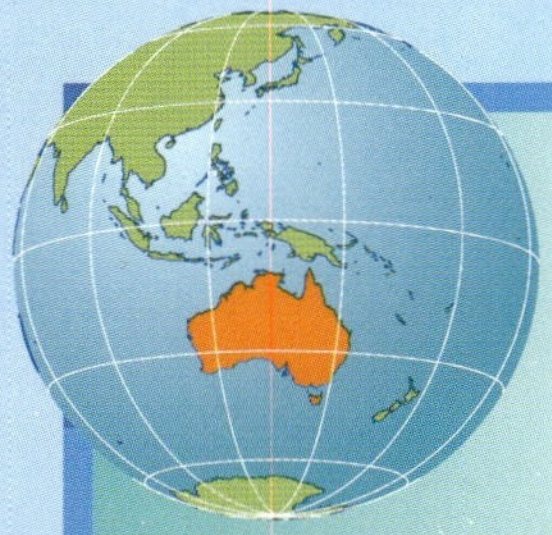

Austrália

AUSTRALÁSIA E OCEANIA

País

Austrália

Este gigantesco país tem a maior parte de seu território coberta por um deserto tão quente e seco que não é possível habitar nem cultivar nada ali. A área mais inóspita e seca do deserto australiano às vezes é denominada *outback*. A maioria das 20 milhões de pessoas que vivem na Austrália mora em cidades ao longo da zona costeira, como Brisbane, Melbourne e Sidney, no leste, e Perth, no sudoeste. Os primeiros habitantes dessa região foram os aborígenes australianos. Hoje, predominam os descendentes de europeus que migraram para o país a partir do século XVIII. A Austrália tem uma das maiores produções de minérios do planeta, com minas de cobre, ouro, carvão e opala, entre outros. Outras atividades econômicas significativas são o turismo e a vinicultura (vinhos australianos de alta qualidade são exportados para todo o mundo).

VOCÊ SABIA?

◇ Na Austrália está a maior cerca do mundo, com 5.320 km de extensão. Foi construída para que cães selvagens (dingos) não ataquem ovelhas.

◇ Há mais de 103 milhões de ovelhas e carneiros na Austrália.

97% das opalas de todo o mundo vêm da Austrália.

OCEANO ÍNDICO

PLANALTO DE KIMBERLEY

Broome

GRANDE DESERTO ARENOSO

Port Hedland

Dampier

MACIÇO DE HAMERSLEY

Lago Mackay

DESERTO DE GIBSON

Trópico de Capricórnio

AUSTRÁLIA OCIDENTAL

GRAND DESERT VICTOR

Geraldton

Kalgoorlie

PLANÍCIE

Perth ★
Fremantle
Mandurah

Grand

Bunbury

OCEAN

Cabo Leeuwin

Albany

| 0 | 200 | 400 quilômetros |
| 0 | 200 | 400 milh |

Uluru

No topo de uma colina de arenito localizada sob o deserto do Território do Norte há uma formação rochosa espetacular chamada Uluru, ou A Rocha – o maior monólito do planeta. O Uluru se ergue até quase 350 m acima do terreno que o rodeia e sua base tem um perímetro de 9,4 km. Essa antiga rocha é considerada sagrada por muitos aborígenes australianos.

Canguru

Estes mamíferos são marsupiais, ou seja, as fêmeas carregam o filhote num tipo de bolsa à frente do corpo. Outros marsupiais desse país são os wallabies (parentes dos cangurus, porém menores), os sariguês e os coalas. Lá também vivem os únicos mamíferos que botam ovos: o ornitorrinco e a equidna, chamados monotremados.

Ilhas do Pacífico

AUSTRALÁSIA E OCEANIA

No Oceano Pacífico existem milhares de ilhas, grande variedade de culturas e idiomas diversos. Essas ilhas são divididas em três grupos: Melanésia, Micronésia e Polinésia. Os habitantes mais antigos dessa região ocupavam a ilha de Nova Guiné, há cerca de 40 mil anos. No século XIX, as ilhas foram colonizadas por europeus, que introduziram suas próprias culturas, línguas e religiões. Hoje, a maioria dos territórios constitui países independentes. A renda desses povos provém de atividades como a pesca e a agricultura, além do turismo. Também exporta-se copra, que, transformada em óleo de coco, é usada em sabonetes e cosméticos.

Países
- Fiji
- Ilhas Marshall
- Ilhas Salomão
- Kiribati
- Micronésia
- Nauru
- Palau
- Papua Nova Guiné
- Samoa
- Tonga
- Tuvalu
- Vanuatu

Cebola, limão, gengibre, alho e suco de lima são ingredientes de pratos típicos de diversas ilhas do Pacífico.

VOCÊ SABIA?
◈ Nauru é a menor república do mundo, com área de apenas 21 km².

◈ Nas ilhas do Pacífico, são preparados alimentos ao fogo de chão – inclusive porcos – em ocasiões especiais ou datas religiosas.

Pesca
Os habitantes das ilhas do Pacífico praticam a pesca, sobretudo para consumo próprio. Entretanto, no Pacífico Norte, muitos peixes são capturados por grandes barcos pesqueiros vindos do Japão, Coreia do Sul, Taiwan e Estados Unidos. O atum, que é bastante apreciado, chega a custar milhares de dólares, principalmente no Japão. Hoje, boa parte da pesca comercial desse peixe é feita usando-se longas linhas em vez de redes.

Dendrolagus dorianus
Nove das onze espécies de cangurus arborícolas habitam a floresta tropical de Nova Guiné. Na Austrália são encontradas as outras duas espécies, das quais a maior é a *Dendrolagus dorianus*, que chega a pesar até 13 kg. Como todos os cangurus, tais animais também são marsupiais.

VOCÊ SABIA?
◈ Boa parte das ilhas do Oceano Pacífico é formada de vulcões que estão embaixo do mar.

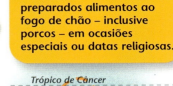

Papua Nova Guiné
A Nova Guiné é a segunda maior ilha do mundo e em sua parte oriental está a Papua Nova Guiné, país que também é composto por outras ilhas menores. Cerca de 80% da população vive em tribos no interior do país, preservando seus hábitos, costumes e crenças há centenas de anos.

VOCÊ SABIA?
◈ A Papua Nova Guiné possui a maior variedade étnica do mundo, com mais de 820 dialetos.

◈ A cana-de-açúcar provavelmente surgiu na Nova Guiné, ilha ocupada em parte pela Papua Nova Guiné.

◈ O coqueiro é chamado de "árvore da vida" pelos habitantes das ilhas, pois dele todas as partes são aproveitadas.

Nova Zelândia
AUSTRALÁSIA E OCEANIA

Situado no sul do Oceano Pacífico, este país tem tamanho semelhante ao do Reino Unido e é composto por duas grandes ilhas, a do Norte e a do Sul, além de diversas ilhas menores. A Nova Zelândia é bastante famosa por suas paisagens fantásticas, que incluem montanhas, vulcões, praias extensas, fiordes profundos e vastas florestas tropicais. O clima no inverno é frio e úmido e, no verão, quente e úmido. A Nova Zelândia é um dos países menos populosos do globo, com 4,25 milhões de pessoas. Os primeiros habitantes dessa região foram os polinésios, que se tornaram conhecidos como maoris. Nos últimos 160 anos, pessoas de diversas nacionalidades têm migrado para este país, que tem como principais atividades econômicas o turismo, a pesca e a fabricação de produtos de alta tecnologia.

País
Nova Zelândia

VOCÊ SABIA?

◈ A Nova Zelândia foi um dos últimos lugares do planeta a ser habitado.

◈ Quase um terço do território neozelandês é coberto por florestas e em muitas delas há espécies exclusivas de árvores exóticas, como a *kauri*, uma das mais antigas do mundo.

◈ A produção de vinhos vem se desenvolvendo rapidamente na Nova Zelândia, que exporta a bebida para todo o mundo.

Esta escultura em madeira retrata o deus Tiki, que para os maoris representa o primeiro humano. Imagens desse deus são consideradas poderosos amuletos.

Auckland

Um terço da população da Nova Zelândia vive em Auckland, a maior cidade do país. Mais de 60% dos neozelandeses descendem de europeus e 11% são maoris. Auckland é muito procurada por migrantes, talvez porque nessa cidade ninguém mora a mais de trinta minutos da praia e o clima é agradável durante todo o ano.

Observação de baleias

Para os maoris, a baleia é um símbolo espiritual; e um dos melhores lugares para observá-las – e também os golfinhos – em seu *habitat* natural fica perto de Kaikoura, vilarejo na Ilha do Sul. Na Nova Zelândia, baleias, golfinhos e focas vivem protegidos, e pessoas do mundo todo viajam a Kaikoura para vê-los.

Monte Cook/Aoraki

O ponto mais alto da Nova Zelândia é o topo do Monte Cook (Aoraki), que tem 3.754 m de altura e fica nos Alpes do Sul. Segundo a lenda maori, as montanhas dos Alpes sulinos são Aoraki e seus três irmãos, filhos do Pai Céu. Aoraki e os irmãos teriam ficado encalhados numa viagem de canoa e morreram congelados pelo vento. A canoa deles teria sido transformada na Ilha do Sul.

Desde a década de 1850 cultivam-se maçãs e peras na região de Nelson; a maioria delas se destina à exportação.

VOCÊ SABIA?

◆ O time neozelandês de rúgbi é conhecido como "All Blacks" e, antes de cada partida, os jogadores dançam o tradicional ritmo maori chamado *haka*.

◆ Até 1991, o Monte Cook/Aoraki era cerca de 10 m mais alto do que é hoje. Nesse ano, uma grande porção de rocha e gelo desprendeu-se do topo durante uma avalanche.

Quivi

Símbolo nacional da Nova Zelândia, esta ave tem tamanho de uma galinha. Por não conseguir voar, o quivi fica exposto a predadores, sobretudo cães e gatos domésticos. Restam cerca de 70 mil quivis vivendo em seu *habitat*.

Gêiseres e fontes d'água

A região de Rotorua, na Ilha do Norte, é famosa por seus gêiseres, fontes d'água e poços de lama termal, todos aquecidos nas profundezas do planeta. Os maoris atribuem significado espiritual aos gêiseres e os nomeiam. O maior gêiser de lá é o Pohutu, que expele jatos de até 30 m de altura.

Milford Sound

Considerado um dos mais belos cenários da Nova Zelândia e situado nos fiordes da Ilha do Sul, esse braço de mar tem mais de 15 km de comprimento e é ladeado por colinas íngremes cuja altura passa de 1.200 m. Matas tropicais abundantes margeiam os fiordes, enquanto focas, golfinhos e pinguins percorrem as águas do canal. Uma das trilhas para caminhada mais populares na região termina justamente em Milford Sound.

VOCÊ SABIA?

◆ A hidreletricidade corresponde a dois terços das fontes de energia da Nova Zelândia e é gerada a partir da rápida correnteza de seus rios. A água é usada na rotação de grandes rodas chamadas turbinas, cuja potência aciona um gerador elétrico.

◆ A Nova Zelândia produz cerca de 25% do fio de lã mais resistente do mundo, utilizado na confecção de produtos que exigem maior durabilidade, como carpetes e capachos.

Leão-marinho da Nova Zelândia

Estes animais são encontrados exclusivamente na Nova Zelândia, sobretudo nas Ilhas Auckland. No período de acasalamento, um macho se une a um grupo de até 25 fêmeas. Os leões-marinhos da Nova Zelândia chegam a nadar por até 125 km em busca de alimento, o que inclui lulas, caranguejos, lagostins e peixes.

As ovelhas da Nova Zelândia são famosas em todo o mundo, e existem aproximadamente 40 milhões delas no território desse país.

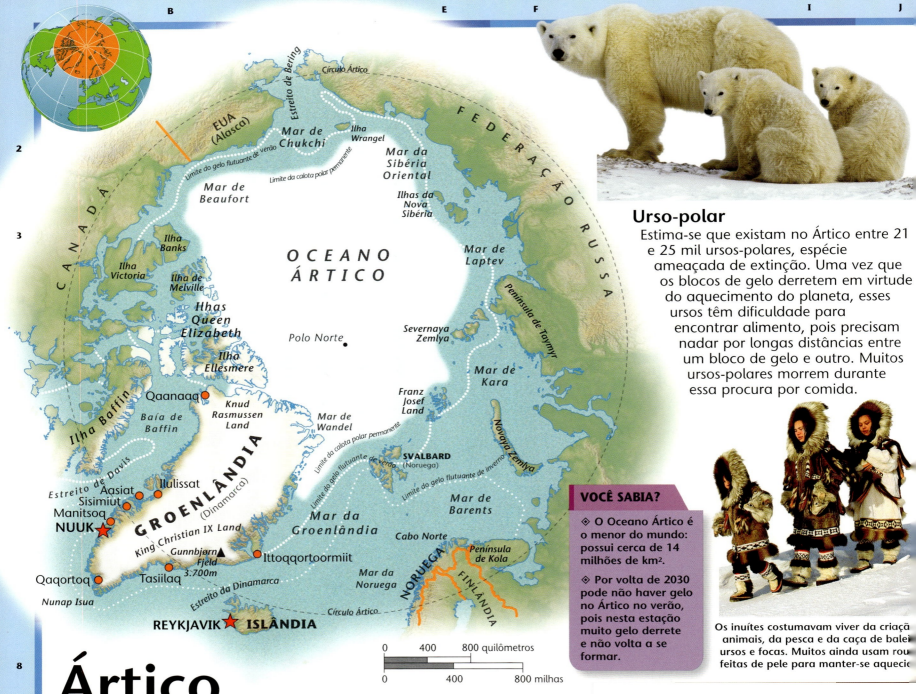

Urso-polar

Estima-se que existam no Ártico entre 21 e 25 mil ursos-polares, espécie ameaçada de extinção. Uma vez que os blocos de gelo derretem em virtude do aquecimento do planeta, esses ursos têm dificuldade para encontrar alimento, pois precisam nadar por longas distâncias entre um bloco de gelo e outro. Muitos ursos-polares morrem durante essa procura por comida.

VOCÊ SABIA?

◈ O Oceano Ártico é o menor do mundo: possui cerca de 14 milhões de km².

◈ Por volta de 2030 pode não haver gelo no Ártico no verão, pois nesta estação muito gelo derrete e não volta a se formar.

Os inuítes costumavam viver da criação animais, da pesca e da caça de baleia ursos e focas. Muitos ainda usam rou feitas de pele para manter-se aquecid

Ártico

ÁSIA, EUROPA E AMÉRICA DO NORTE

O Ártico é uma extensa área em cujo centro está o Polo Norte. Não caracteriza um continente ou país, mas abrange o Oceano Ártico e um bom trecho do norte da Ásia, da América do Norte e da Europa. No inverno, a maior parte do Oceano Ártico fica recoberta por blocos de gelo de até 4 metros de espessura. Nos breves verões, a camada sólida de gelo se rompe. Porém, ela logo se refaz assim que chega novo inverno, período em que os termômetros marcam - 60 °C. Embora o clima seja frio, há milhares de anos essa região é habitada. Originalmente, lapões e inuítes eram nômades que viviam da criação e da caça de animais. Hoje, a maioria dos habitantes do Ártico mora em vilarejos, mas ainda há quem siga o nomadismo tradicional.

Luzes do norte

A aurora boreal, ocorrência também conhecida como luzes do norte, é causada pela reação de ventos solares com a camada mais superficial da atmosfera terrestre. Esse efeito colorido no céu também pode ser visto no Polo Sul, onde o fenômeno é conhecido como luzes do sul, ou aurora austral.

Antártida
ANTÁRTIDA

Este é o quinto maior continente e tem aproximadamente o dobro do tamanho dos Estados Unidos. A Antártida é a região do planeta onde mais venta e ali o clima é extremamente frio. Quase toda a extensão do continente antártico é coberta por uma camada de gelo que data de milhares de anos e chega a ter 1,6 quilômetros de espessura. Esse gelo consiste na maior porção de água doce existente na Terra e o solo sob ele abriga petróleo e outros minerais, incluindo ouro, minério de ferro e carvão. O rompimento de imensos blocos de gelo é comum, dando origem a icebergs. Com a finalidade de preservar essa região, 46 nações assinaram um acordo chamado Tratado da Antártida, comprometendo-se a não realizar ali nenhuma atividade de extração de petróleo nem instalar bases militares. A Antártida é o único continente em que não há habitantes permanentes.

Ciência antártica
Grupos de cientistas, turistas e estudiosos têm permissão para visitar a Antártida. Ali ocorrem muitas pesquisas, como as que investigam a sobrevivência de plantas e animais locais.

Jubartes e outras espécies de baleias costumam passar temporadas nos mares gelados da Antártida.

VOCÊ SABIA?
◈ No inverno, as temperaturas na Antártida chegam a -80 °C.
◈ O continente antártico não está sob o domínio de nenhum país.

Pinguim-real
Os únicos pinguins que se reproduzem durante o rigoroso inverno antártico são os pinguins-reais. Eles pesam mais de 30 kg e são os mais altos da espécie, atingindo 1,2 m de altura. Eles percorrem até 120 km para chegar ao lugar onde põem seus ovos.

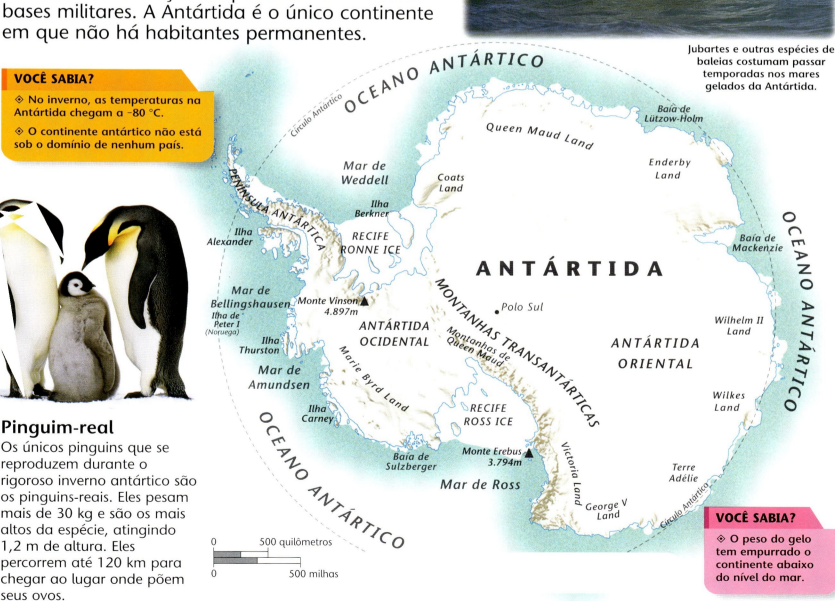

VOCÊ SABIA?
◈ O peso do gelo tem empurrado o continente abaixo do nível do mar.

59

Índice de localidades

Neste atlas, há um *Índice de localidades*, na página 60, e um *Índice geral*, na página 68.

Índice de localidades
Este índice relaciona todos os nomes de lugares representados nos mapas. Cada nome é acompanhado de uma descrição geográfica, além de sua localização, do número de página e das coordenadas que determinam sua posição no mapa. Os nomes de cidades não são seguidos de descrição geográfica.

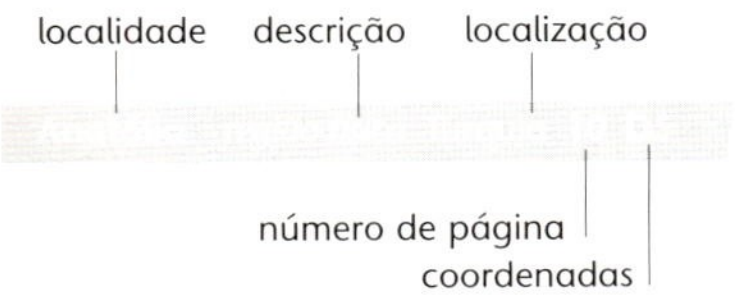

localidade   descrição   localização

número de página
coordenadas

Para identificar a localidade usada no exemplo (Anatólia), primeiro vá até a página indicada (p. 10). Em seguida, encontre o par de coordenadas D5, conforme as marcações nas margens da página. Trace uma linha imaginária vertical sob a letra D e outra linha horizontal partindo do número 5. O encontro dessas linhas indicará a exata localização da Anatólia no mapa.

• • A • •

Aalborg   Dinamarca **33 L10**
Aasiat   Groenlândia **58 B6**
Aberdeen   Escócia, Reino Unido **35 O2**
Abha   Arábia Saudita **43 N10**
Abidjan   Costa do Marfim **28 H10**
Abu Dhabi   *capital de país* Emirados Árabes Unidos **43 Q8**
Abuja   *capital de país* Nigéria **28 J10**
Acapulco   México **24 G8**
Aconcágua, Cerro   *montanha* Argentina **27 O9**
Açores   *arquipélago* Portugal **34 L11**
Acra   *capital de país* Gana **28 H10**
Ad Dahna   *deserto* Arábia Saudita **43 O7**
Adana   Turquia **43 L3**
Adelaide   *capital de estado* Austrália do Sul **53 M9**
Aden   Iêmen **43 N12**
Áden, Golfo de   *elemento marítimo* NO Oceano Índico **10 E7**
Adriático, Mar   *mar* Mar Mediterrâneo **37 O8**
Afeganistão   *país* C Ásia **45 M10**
África   *continente* **10 C7**
África do Sul   *país* S África **30 J11**
África, Chifre da   *região física* L África **29 Q9**
Agadez   Níger **28 J8**
Agra   **47 N4**
Ahaggar, Montanhas   *cadeia de montanhas* Argélia **28 I7**
Ahmadabad   Índia **47 M6**
Ahvaz   Irã **43 O5**
Ajaccio   França **35 R9**
Aksai Chin   *território disputado* S Ásia **47 O1**
Aktau   Casaquistão **44 I6**
Aktobe   Casaquistão **45 K4**
Akureyri   Islândia **33 L1**
Al Hufuf   Arábia Saudita **43 P7**
Al Kut   Iraque **43 O5**
Al Mukalla   Iêmen **43 P11**
Alabama   *estado* EUA **23 P8**
Alai, Montanhas   *cadeia de montanhas* Quirguistão/Tajiquistão **45 O8**

Alakol, Lago   *lago* Casaquistão **45 R5**
Aland, Ilhas   *arquipélago* Finlândia **33 O8**
Alasca   *estado* EUA **22 G9**
Alasca, Cordilheira do   *cadeia de montanhas* EUA **11 M3**
Alasca, Golfo do   *elemento marítimo* N Oceano Pacífico **22 G10**
Albacete   Espanha **35 O11**
Albânia   *país* SE Europa **39 M9**
Albany   *capital de estado* Nova York, EUA **23 R5**
Albany   Austrália Ocidental **52 G10**
Alberta   *província* Canadá **20 H7**
Albuquerque   Novo México, EUA **23 K8**
Albury   Nova Gales do Sul, Austrália **53 O10**
Aldan   *rio* Rússia **41 O8**
Alemanha   *país* C Europa **37 M3**
Aleppo   Síria **43 L4**
Aleutas, Ilhas   *arquipélago* EUA **11 L4**
Alexandre, Ilha   *ilha* Antártida **59 L8**
Alexandria   Egito **29 M5**
Alicante   Espanha **35 O11**
Alice Springs   Território do Norte, Austrália **53 L6**
Allahabad   Índia **47 O5**
Almaty   Casaquistão **45 Q6**
Alofi   *capital de país* Niue **55 N8**
Alpes   *cadeia de montanhas* C Europa **10 C4**
Alpes Australianos   *cadeia de montanhas* Austrália **53 O10**
Alpes do Sul   *cadeia de montanhas* Nova Zelândia **56 I9**
Altai, Montes   *cadeia de montanhas* C Ásia **10 G4**
Altamira   Brasil **27 Q4**
Altun Shan   *cadeia de montanhas* China **48 H6**
Amã   *capital de país* Jordânia **43 L5**
Amarelo, Mar   *mar* O Oceano Pacífico **49 P7**
Amarelo, Rio   *rio* China **49 N7**
Amazonas   *rio* C América do Sul **27 O4**
Ambon   Indonésia **51 O10**
América do Norte   *continente* **11 O4**
América do Sul   *continente* **11 R8**
Amiens   França **35 P5**
Amristar   Índia **47 M3**
Amsterdã   *capital de país* Holanda **35 Q4**
Amu Darya   *rio* C Ásia **45 M9**
Amundsen, Mar de   *mar* Oceano Antártico **59 N10**
Amur   *rio* China/Rússia **10 I4**
An Nafud   *deserto* Arábia Saudita **43 M6**
An Nasiriyah   Iraque **43 O6**
Anamitas, Montanhas   *cadeia de montanhas* SE Ásia **50 I4**
Anápolis   Brasil **27 Q6**
Anatólia   *região física* Turquia **10 D5**
Anchorage   Alasca, EUA **22 G10**
Andamã, Ilhas   *arquipélago* Índia **47 S9**
Andamã, Mar de   *mar* NE Oceano Índico **50 F7**
Andes   *cadeia de montanhas* O América do Sul **27 M5**
Andijon   Uzbequistão **45 P8**
Andorra   *país* SO Europa **35 O9**
Andros, Ilha   *ilha* Bahamas **25 M6**
Angara   *rio* Rússia **41 K9**
Angkor Wat   *sítio arqueológico* Camboja **50 I5**
Angola   *país* S África **30 I7**
Anguilla   *território do Reino Unido* Caribe **25 R7**
Ankara   *capital de país* Turquia **43 K2**
Annapolis   *capital de estado* Maryland, EUA **23 R6**
Anshan   China **49 O5**
Antália   Turquia **43 K3**
Antananarivo   *capital de país* Madagascar **31 O8**
Antártica, Península   *península* Antártida **59 N8**
Antártico, Oceano   *oceano* **59 O6**
Antártida   *continente* **59 P8**
Antártida Ocidental   *região física* Antártida **59 O9**
Antártida Oriental   *região física* Antártida **59 R9**
Anticosti, Ilha   *ilha* Canadá **21 Q8**
Antígua e Barbuda   *país* Caribe **25 R7**

Antofogasta   Chile **27 N7**
Antuérpia   Bélgica **35 Q5**
Aoraki/Monte Cook   *montanha* Nova Zelândia **56 I9**
Apalaches   *cadeia de montanhas* EUA **23 P7**
Apeninos   *cadeia de montanhas* Itália **37 M7**
Ápia   *capital de país* Samoa **55 N8**
Ar Rub'Al Khali   *deserto* Arábia Saudita **43 O9**
Arábia Saudita   *país* SO Ásia **43 N8**
Arábica, Península   *península* SO Ásia **43 M7**
Arábico, Mar   *mar* NO Oceano Índico **10 F6**
Aracaju   Brasil **27 S5**
Arafura, Mar de   *mar* NO Oceano Pacífico **10 I8**
Araguaia   *rio* Brasil **27 Q5**
Arak   Irã **43 P4**
Aral, Mar de   *lago* Casaquistão/Uzbequistão **45 L6**
Ararat, Monte   *montanha* Turquia **43 N2**
Aras   *rio* SO Ásia **43 O3**
Arcangel   Rússia **40 G6**
Arequipa   Peru **27 N6**
Argel   *capital de país* Argélia **28 I4**
Argélia   *país* **28 I6**
Argentina   *país* S América do Sul **27 O9**
Arhus   Dinamarca **33 L10**
Arica   Chile **27 N6**
Arizona   *estado* EUA **22 I8**
Arkansas   *estado* EUA **23 N7**
Arkansas   *rio* EUA **23 N8**
Armênia   *país* SO Ásia **43 N2**
Arnhem Land   *região física* Austrália **53 L2**
Arta   Grécia **39 N10**
Ártico, Oceano   *oceano* **58 C3**
Aru, Ilhas   *arquipélago* Indonésia **51 Q11**
Aruba   *território holandês* Caribe **25 P9**
As Sib   Omã **43 R8**
Asburton   Nova Zelândia **56 J9**
Ashkhabad   *capital de país* Turcomenistão **45 K9**
Ásia   *continente* **10 H4**
Asmara   *capital de país* Eritrea **29 O8**
Assuã   Egito **29 N7**
Assunção   *capital de país* Paraguai **27 P7**
Astana   *capital de país* Casaquistão **45 O3**
Astracã   Rússia **40 E9**
Atacama, Deserto do   *deserto* Chile **27 O7**
Atenas   *capital de país* Grécia **39 O10**
Athabasca   *rio* Canadá **20 H8**
Athabasca, Lago   *lago* Canadá **20 I7**
Atlanta   *capital de estado* Geórgia, EUA **23 P8**
Atlântico, Oceano   *oceano* **10 B9**
Atlas, Montanhas   *cadeia de montanhas* NO África **28 H5**
Atyrau   Casaquistão **44 J5**
Auckland   Nova Zelândia **57 L3**
Augusta   *capital de estado* Maine, EUA **23 S4**
Aurangabad   Índia **47 M7**
Austin   *capital de estado* Texas, EUA **23 M9**
Austrais, Ilhas   *arquipélago* Polinésia Francesa **55 P9**
Austrália   *continente* **10 J9**
Austrália do Sul   *estado* Austrália **53 L7**
Austrália Ocidental   *estado* Austrália **52 H6**
Áustria   *país* C Europa **37 O5**
Avarua   *capital de país* Ilhas Cook **55 O9**
Azerbaijão   *país* SO Ásia **43 O2**
Azov, Mar de   *mar* Mar Negro **39 S6**

• • B • •

Bab el Mandeb   *elemento marítimo* NO Oceano Índico **43 N12**
Babeldaob   *ilha* Palau **54 H5**
Babruysk   Bielorrússia **39 P2**
Bacau   Romênia **39 P6**
Bacolod   Filipinas **51 N6**
Baffin, Baía de   *elemento marítimo* NO Oceano Atlântico **58 B5**
Baffin, Ilha de   *ilha* Canadá **21 M4**
Bagdá   *capital de país* Iraque **43 N5**
Baghlan   Afeganistão **45 O10**
Baguio   Filipinas **51 M4**
Bahamas   *arquipélago* Caribe **11 Q6**
Bahamas   *país* Caribe **25 N6**
Bahía Blanca   Argentina **27 P10**

Baikal, Lago   *lago* Rússia **41 L10**
Baikiri   *capital de país* Kiribati **55 L6**
Baixa Califórnia   *península* México **24 D3**
Baker e Howland, Ilhas   *território dos EUA* C Oceano Pacífico **55 M6**
Baku   *capital de país* Azerbaijão **43 P2**
Bálcãs, Montes   *cadeia de montanhas* Bulgária **39 O8**
Baleares, Ilhas   *arquipélago* Espanha **35 P11**
Bali   *ilha* Indonésia **51 L11**
Balikpapan   Indonésia **51 L9**
Balkanabat   Turcomenistão **44 J8**
Balkh   Afeganistão **45 N9**
Balkhash, Lago   *lago* Casaquistão **45 P5**
Ballarat   Austrália **53 N10**
Balsas   *rio* México **24 G7**
Báltico, Mar   *mar* NE Oceano Atlântico **33 O11**
Baltimore   Maryland, EUA **23 R6**
Bamako   *capital de país* Mali **28 G9**
Bamian   Afeganistão **45 N10**
Banda Aceh   Indonésia **50 F7**
Banda, Mar de   *mar* O Oceano Pacífico **51 O10**
Bandar Seri Begawan   *capital de país* Brunei **51 L8**
Bandar-e Bushehr   Irã **43 P6**
Bandar-e'Abbas   Irã **43 R7**
Bandarlampung   Indonésia **50 I10**
Bandung   Indonésia **50 J11**
Bangalore   Índia **47 N9**
Bangcoc   *capital de país* Tailândia **50 H5**
Bangka   *ilha* Indonésia **50 I9**
Bangladesh   *país* S Ásia **47 R5**
Bangui   *capital de país* República Centro-Africana **29 L10**
Banja Luka   Bósnia e Herzegovina **39 L7**
Banjamasin   Indonésia **51 L10**
Banjul   *capital de país* Gâmbia **28 F9**
Banks, Ilhas   *ilha* Canadá **20 I3**
Banks, Península de   *península* Nova Zelândia **57 K9**
Banská Bystrica   Eslováquia **37 Q5**
Baotou   China **49 M6**
Barbados   *país* Caribe **25 S8**
Barcelona   Espanha **35 P9**
Barcelona   Venezuela **27 O2**
Barein   *país* SO Ásia **43 P7**
Barents, Mar de   *mar* Oceano Ártico **58 E6**
Bari   Itália **37 P9**
Barinas   Venezuela **27 N2**
Barisan, Montanhas   *cadeia de montanhas* Indonésia **50 G8**
Barkly, Planalto de   *planalto* Austrália **53 L3**
Barnaul   Rússia **40 J10**
Barquisimeto   Venezuela **27 N2**
Barranquilla   Colômbia **27 N2**
Basileia   Suíça **37 L5**
Basra   Iraque **43 O6**
Bass, Estreito de   *elemento marítimo* Austrália **53 O11**
Bassein   Mianmar **50 F4**
Batdambang   Camboja **50 I5**
Bathurst   Nova Gales do Sul, Austrália **53 P9**
Baton Rouge   *capital de estado* Louisiana, EUA **23 O9**
Bear, Lago   *lago* Canadá **20 H5**
Beaufort, Mar de   *mar* Oceano Ártico **58 B2**
Beira   Moçambique **31 M9**
Beirute   *capital de país* Líbano **43 L4**
Belém   Brasil **27 R4**
Belfast   *capital de província* Irlanda do Norte, Reino Unido **35 N3**
Bélgica   *país* NO Europa **35 Q5**
Belgrado   *capital de país* Sérvia **39 M7**
Belize   *país* América Central **25 K8**
Bellingshausen, Mar de   *mar* Oceano Antártico **59 N9**
Belmopan   *capital de país* Belize **25 K8**
Belo Horizonte   Brasil **27 R7**
Bendigo   Victoria, Austrália **53 N10**
Bengala, Golfo de   *elemento marítimo* NE Oceano Índico **10 G6**
Bengasi   Líbia **29 L5**
Bengkulu   Indonésia **50 H10**
Benin   *país* O África **28 I9**

BERGEN — DASOGUZ

Bergen Noruega **33 K8**
Bering, Estreito de *elemento marítimo* Oceano Ártico/Oceano Pacífico **58 C1**
Bering, Mar de *mar* N Oceano Pacífico **11 L4**
Berkner, Ilha *ilha* Antártida **59 O8**
Berlim *capital de país* Alemanha **37 N2**
Bermuda *território do Reino Unido* O Oceano Atlântico **13 R5**
Berna *capital de país* Suíça **37 L6**
Bhopal Índia **47 N6**
Bhubaneswar Índia **47 Q7**
Bialystok Polônia **37 R2**
Bié, Planalto do *planalto* Angola **30 J7**
Bielorrússia *país* L Europa **39 P2**
Bien Hoa Vietnã **50 J6**
Bilbao Espanha **35 N8**
Birantnagar Nepal **47 Q4**
Birmingham Alabama, EUA **23 P8**
Birmingham Inglaterra, Reino Unido **35 O4**
Biscaia, Golfo de *elemento marítimo* NE Oceano Atlântico **35 N7**
Bishek *capital de país* Turcomenistão **45 P7**
Bismarck *capital de estado* Dakota do Norte, EUA **23 L4**
Bissau *capital de país* Guiné-Bissau **28 F9**
Bitola Macedônia **39 N9**
Blanc, Monte *montanha* França/Itália **35 R7**
Blantyre Malawi **31 M8**
Blenheim Nova Zelândia **57 L7**
Bloemfontein *capital de país* África do Sul **31 K10**
Boa Esperança, Cabo da *cabo* África do Sul **30 J11**
Bodo Noruega **33 N4**
Bogor Indonésia **50 I11**
Bogotá *capital de país* Colômbia **27 N3**
Boise *capital de estado* Idaho, EUA **22 I4**
Bolívia *país* C América do Sul **27 O6**
Bolonha Itália **37 N7**
Bombaim Índia **47 M7**
Bonaire *território holandês* Caribe **25 P9**
Bonn Alemanha **37 L3**
Bora Bora *ilha* Polinésia Francesa **55 P8**
Bordeaux França **35 O8**
Bornéu *ilha* SE Ásia **51 K9**
Bornholm *ilha* Dinamarca **33 N11**
Bósnia e Herzegovina *país* SE Europa **39 L7**
Boston Massachusetts, EUA **23 S4**
Bótnia, Golfo de *elemento marítimo* NE Oceano Atlântico **33 O7**
Botswana *país* S África **31 K9**
Brahmaputra *rio* S Ásia **10 G6**
Braila Romênia **39 P7**
Branco *rio* Brasil **27 P3**
Branco, Mar *mar* Oceano Ártico **40 G5**
Brasil *país* América do Sul **27 O5**
Brasileiro, Planalto *cadeia de montanhas* Brasil **27 R6**
Brasília *capital de país* Brasil **27 R6**
Brasov Romênia **39 O6**
Bratislava *capital de país* Eslováquia **37 P5**
Brazzaville *capital de país* Congo **30 I5**
Bremen Alemanha **37 M2**
Breslávia Polônia **37 P3**
Brest França **35 N6**
Brest Bielorrússia **39 O3**
Brisbane *capital de estado* Queensland, Austrália **53 Q7**
Bristol Inglaterra, Reino Unido **35 O5**
Brno República Tcheca **37 P4**
Broken Hill Nova Gales do Sul, Austrália **53 N8**
Brooks, Montanhas *cadeia de montanhas* EUA **22 G9**
Broome Austrália Ocidental **52 H4**
Brunei *país* SE Ásia **51 K8**
Bruxelas *capital de país* Bélgica **35 Q5**
Bucaramanga Colômbia **27 N2**
Bucareste *capital de país* Romênia **39 P7**
Budapeste *capital de país* Hungria **39 M5**
Buenos Aires *capital de país* Argentina **27 P9**
Buffalo Nova York, EUA **23 Q5**
Bug Meridional *rio* Ucrânia **39 Q5**
Bujumbura *capital de país* Burundi **31 L5**
Bulawayo Zimbábue **31 K9**
Bulgária *país* SE Europa **39 O8**
Bunbury Austrália Ocidental **52 G9**
Buraydah Arábia Saudita **43 N7**
Burgas Bulgária **39 P8**
Burkina Faso *país* O África **28 H9**
Bursa Turquia **42 J2**
Buru *ilha* Indonésia **51 O10**
Burundi *país* C África **31 L5**
Butão *país* S Ásia **47 R4**
Buxoro Uzbequistão **45 M8**
Bydgoszcz Polônia **37 P2**

• • C • •

Cabinda *província* Angola **12 C8**
Cabo Verde *arquipélago* O África **10 A7**
Cabo Verde *país* O África **28 D8**
Cabo York, Península do *península* Austrália **53 N3**
Cagayan de Oro Filipinas **51 N7**
Caiena *capital de país* Guiana Francesa **27 Q3**
Cairns Queensland, Austrália **53 O4**
Cairo *capital de país* Egito **29 N5**
Calcutá Índia **47 R6**
Calgary Alberta, Canadá **20 H9**
Cali Colômbia **27 M3**
Califórnia *estado* EUA **22 G5**
Callao Peru **27 M5**
Camaguey Cuba **25 N6**
Camarões *país* O África **29 K11**
Cambaia, Golfo de *elemento marítimo* N Oceano Índico **47 L7**
Camberra *capital de país* Austrália **53 P10**
Camboja *país* SE Ásia **50 I5**
Campala *capital de país* Uganda **31 L5**
Campeche México **24 J7**
Campeche, Baía de *elemento marítimo* México **24 I7**
Campinas Brasil **27 R7**
Campo Grande Brasil **27 Q7**
Can Tho Vietnã **50 I6**
Canadá *país* N América do Norte **20 J7**
Canal, Ilhas do *território do Reino Unido* NO Europa **35 N6**
Canárias, Ilhas *arquipélago* Espanha **34 I12**
Cancún México **25 K7**
Canterbury, Baía de *elemento marítimo* Nova Zelândia **56 J10**
Caracas *capital de país* Venezuela **27 O2**
Carajás Brasil **27 Q4**
Cardiff *capital de país* País de Gales, Reino Unido **35 N5**
Caribe, Mar do *mar* O Oceano Atlântico **25 N9**
Carney, Ilha *arquipélago* Micronésia **54 I5**
Carolina do Norte *estado* EUA **23 R7**
Carolina do Sul *estado* EUA **23 Q8**
Caroline, Ilha *ilha* Kiribati **55 P7**
Cárpatos, Montes *cadeia de montanhas* L Europa **10 D4**
Carpentária, Golfo de *elemento marítimo* O Oceano Pacífico **53 M3**
Carson City *capital de estado* Nevada, EUA **22 H6**
Cartagena Colômbia **27 M2**
Cartum *capital de país* Sudão **29 N8**
Casablanca Marrocos **28 G5**
Casaquistão *país* C Ásia **45 M4**
Casaquistão, Planalto do *planalto* Casaquistão **45 P4**
Caspiana, Depressão *depressão* Casaquistão/Rússia **44 J4**
Cáspio, Mar *lago* Ásia/Europa **10 E5**
Catânia Itália **37 O11**
Catanzaro Itália **37 P11**
Catar *país* SO Ásia **43 P7**
Cáucaso *cadeia de montanhas* Ásia/Europa **10 E5**
Cayman, Ilhas *território do Reino Unido* Caribe **25 L7**
Cazã Rússia **40 F8**
Cebu Filipinas **51 N6**
Celebes, Mar de *mar* O Oceano Pacífico **51 M8**
Central Russo, Planalto *planalto* Rússia **40 F7**
Ceram *ilha* Indonésia **51 O10**
Chade *país* C África **29 L8**
Chade, Lago *lago* C África **29 K9**
Chagos, Ilhas *arquipélago* C Oceano Índico **10 F8**
Chambal *rio* Índia **47 N5**
Changchun China **49 P4**
Changsha China **49 M9**
Charleston *capital de estado* Virgínia Ocidental, EUA **23 Q6**
Charlotte EUA **23 Q7**
Charlottetown *capital de província* Ilhas Príncipe Edward, Canadá **21 Q9**
Chatham, Ilhas *arquipélago* Nova Zelândia **11 L10**
Chelyabinsk Rússia **40 H8**
Chenab *rio* Índia/Paquistão **47 M2**
Chengdu China **49 K9**
Chennai Índia **47 O9**
Cherkasy Ucrânia **37 Q4**
Chernihiv Ucrânia **39 Q3**
Chernivtsi Ucrânia **39 O5**
Chernobil Ucrânia **39 Q3**
Cherskiy, Cordilheira de *cadeia de montanhas* Rússia **41 O6**
Cheyenne *capital de estado* Wyoming, EUA **23 K6**
Chiang Mai Tailândia **50 H4**
Chicago Illinois, EUA **23 O5**
Chiclayo Peru **27 M5**
Chicoutimi Quebec, Canadá **21 O9**
Chihuahua México **24 F4**
Chile *país* S América do Sul **27 N8**
Chiloé, Ilha de *ilha* Chile **27 N10**
China *país* L Ásia **48 I8**
China, Grande Planície da *planície* China **10 H5**
China Meridional, Mar da *mar* O Oceano Pacífico **10 H7**
China Oriental, Mar da *mar* O Oceano Pacífico **10 I6**
Chindwin *rio* Mianmar **50 G2**
Chipre *país* Mar Mediterrâneo **43 K4**
Chipre do Norte, República Turca do *região disputada* Chipre **42 J4**
Chisinau *capital de país* Moldávia **39 P6**
Chita Rússia **41 M10**
Chittagong Bangladesh **47 S6**
Chon Buri Tailândia **50 H5**
Chongjin Coreia do Norte **49 Q5**
Chongqing China **49 L9**
Choybalsan Mongólia **49 M3**
Christchurch Nova Zelândia **57 K9**
Christmas, Ilhas *território australiano* NE Oceano Índico **12 H8**
Chukchi, Mar de *mar* Oceano Ártico **58 C2**
Churchill *rio* Canadá **21 K7**
Chuuk, Ilhas *arquipélago* Micronésia **54 I5**
Cíclades *arquipélago* Grécia **39 O11**
Cidade da Guatemala *capital de país* Guatemala **24 J9**
Cidade de Belize Belize **25 K8**
Cidade do Cabo *capital de país* África do Sul **30 J11**
Cidade do México *capital de país* México **24 H7**
Cidade do Panamá *capital de país* Panamá **25 M10**
Cidade do Vaticano *capital de país* S Europa **37 M9**
Cincinnati Ohio, EUA **23 P6**
Cingapura *país* SE Ásia **50 I9**
Cisjordânia *território disputado* SO Ásia **43 L5**
Ciudad del Este Paraguai **27 Q7**
Ciudad Guayana Venezuela **27 O2**
Ciudad Juárez México **24 F3**
Ciudad Victoria México **24 H6**
Clarence *rio* Nova Zelândia **57 K8**
Clermont-Ferrand França **35 Q7**
Cleveland Ohio, EUA **23 Q5**
Clipperton *território francês* L Oceano Pacífico **13 O7**
Cluj-Napoca Romênia **39 O6**
Clutha *rio* Nova Zelândia **56 I11**
Coats Land *região física* Antártida **59 P7**
Cochabamba Bolívia **27 O6**
Coco, Ilhas *arquipélago* NE Oceano Índico **10 G8**
Coco, Ilhas *território australiano* NE Oceano Índico **12 G8**
Coffs Harbour Nova Gales do Sul, Austrália **53 Q8**
Coimbatore Índia **47 N10**
Coimbra Portugal **35 L10**
Colima México **24 F7**
Colômbia *país* N América do Sul **27 N3**
Colombo *capital de país* Sri Lanka **47 O11**
Colon Panamá **25 M10**
Colônia Alemanha **37 L3**
Colorado *rio* México/EUA **11 O5**
Colorado *estado* EUA **23 K7**
Colorado Springs Colorado, EUA **23 Q8**
Colúmbia *capital de estado* Carolina do Sul, EUA **23 Q8**
Colúmbia Britânica *província* Canadá **20 G7**
Columbus *capital de estado* Ohio, EUA **23 Q6**
Comores *arquipélago* SE África **10 E8**
Comores *país* SE África **31 N7**
Conacri *capital de país* Guiné **28 F9**
Concepción Chile **27 N9**
Conchos *rio* México **24 F4**
Concord *capital de estado* New Hampshire, EUA **23 S4**
Congo *país* C África **30 I5**
Congo *rio* C África **30 I5**
Congo, Bacia do *bacia hidrográfica* C África **30 J4**
Congo, República Democrática do *país* C África **30 J5**
Connecticut *estado* EUA **23 S5**
Constanta Romênia **39 P7**
Constantina Argélia **28 J4**
Coober Pedy Austrália do Sul **53 L7**
Cook, Estreito de *elemento marítimo* Nova Zelândia **57 L7**
Cook, Ilhas *arquipélago* C Oceano Pacífico **11 M8**
Cook, Ilhas *território neozelandês* C Oceano Pacífico **55 O8**
Cook, Monte/Aoraki *montanha* Nova Zelândia **56 I9**
Cook do Norte, Ilhas *arquipélago* Ilhas Cook **55 O8**
Cook do Sul, Ilhas *arquipélago* Ilhas Cook **55 O8**
Copenhague *capital de país* Dinamarca **33 M11**
Corais, Mar de *mar* SO Oceano Pacífico **10 J8**
Cordilheira Central *cadeia de montanhas* Indonésia/Papua Nova Guiné **51 R10**
Córdoba Argentina **27 O8**
Córdoba Espanha **35 N11**
Coreia do Norte *país* L Ásia **49 P5**
Coreia do Sul *país* L Ásia **49 Q6**
Corfu *ilha* Grécia **39 M10**
Cork Irlanda **35 M4**
Coromandel, Costa de *zona costeira* Índia **47 P10**
Corrientes Argentina **27 P8**
Córsega *ilha* França **35 S9**
Costa Brava *zona costeira* Espanha **35 Q9**
Costa do Marfim *país* O África **28 G9**
Costa Rica *país* América Central **25 L10**
Cozumel, Ilha *ilha* México **25 K7**
Cracóvia Polônia **37 Q4**
Craiova Romênia **39 O7**
Creta *ilha* Grécia **39 O12**
Creta, Mar de *mar* Mar Mediterrâneo **39 O12**
Crimeia *península* Ucrânia **39 R6**
Croácia *país* SE Europa **39 L6**
Crozet, Ilhas *arquipélago* Territórios Franceses do Sul e da Antártida **10 E10**
Cuba *ilha* Caribe **11 Q6**
Cuba *país* Caribe **25 M6**
Cúcuta Colômbia **27 N2**
Cuernavaca México **24 H7**
Cuiabá Brasil **27 P6**
Culiacán México **24 E5**
Curaçao *território holandês* Caribe **25 P9**
Curilas, Ilhas *arquipélago* Rússia **41 R10**
Curitiba Brasil **27 Q7**
Cusco Peru **27 N6**
Czestochowa Polônia **37 P3**

• • D • •

Da Nang Vietnã **50 J4**
Daca *capital de país* Bangladesh **47 R5**
Dacar *capital de país* Senegal **28 F8**
Dakota do Norte *estado* EUA **23 L4**
Dakota do Sul *estado* EUA **23 L4**
Dalalven *rio* Suécia **33 N8**
Dalian China **49 O6**
Dallas Texas, EUA **23 M8**
Dalmácia *região cultural* Croácia **39 L7**
Damasco *capital de país* Síria **43 L5**
Damavand, Monte *montanha* Irã **43 P4**
Damman Arábia Saudita **43 P7**
Dampier Austrália Ocidental **52 G5**
Danúbio *rio* SE Europa **10 D5**
Dar es Salaam Tanzânia **31 M6**
Darfur *região cultural* Sudão **29 L9**
Darhan Mongólia **49 L3**
Darién, Golfo de *elemento marítimo* Caribe **25 N10**
Darling, Rio *rio* Austrália **53 N8**
Darwin *capital de território* Território do Norte, Austrália **53 K2**
Dasoguz Turcomenistão **45 L7**

DATONG — HONIARA

Datong China 49 M6
Daugavpils Letônia 33 R10
Davao Filipinas 51 N7
Davis, Estreito de *elemento marítimo* NO Oceano Atlântico 58 A6
Debrecen Hungria 39 N5
Decã, Península do *planalto* Índia 47 N7
Delaware *estado* EUA 23 S6
Délhi Índia 47 N4
Demchok *território disputado* S Ásia 47 O2
Denali ver McKinley, Monte
Denizli Turquia 42 J3
Denpasar Indonésia 51 L11
Denver *capital de estado* Colorado, EUA 23 K6
Des Moines *capital de estado* Iowa, EUA 23 N6
Detroit Michigan, EUA 23 P5
Dijon França 35 Q7
Dili *capital de país* Timor Leste 51 N11
Dinamarca *país* N Europa 33 L10
Dinamarca, Estreito da *elemento marítimo* N Oceano Atlântico 58 B7
Divinópolis Brasil 27 R7
Diyarbakir Turquia 43 M3
Djibuti *capital de país* Djibuti 29 P9
Djibuti *país* L África 29 P9
Dnieper *rio* L Europa 10 D4
Dniester *rio* Moldávia/Ucrânia 39 P5
Dnipropetrovs'k Ucrânia 39 S5
Dodecaneso *arquipélago* Grécia 39 P11
Dodoma *capital de país* Tanzânia 31 M6
Doha *capital de país* Catar 43 P7
Dominica *país* Caribe 25 S8
Don *rio* Rússia 40 E7
Donets *rio* Ucrânia 39 S4
Donets'k Ucrânia 39 T5
Dordonha *rio* França 35 P8
Dortmund Alemanha 37 L3
Douala Camarões 28 J10
Douro *rio* Portugal/Espanha 35 M9
Dover *capital de estado* Delaware, EUA 23 R6
Drakensberg *cadeia de montanhas* África do Sul 31 K11
Drammen Noruega 33 M8
Drava *rio* SE Europa 39 L6
Dresden Alemanha 37 O3
Dubai Emirados Árabes Unidos 43 R7
Dublin *capital de país* Irlanda 35 N4
Duína do Norte *rio* Rússia 40 G6
Duína Ocidental *rio* L Europa 33 Q10
Dundee Escócia, Reino Unido 35 O2
Dunedin Nova Zelândia 56 I11
Durango México 24 F5
Durban África do Sul 31 L10
Durovnik Croácia 39 L8
Durres Albânia 39 M9
Dushanbe *capital de país* Tajiquistão 45 O9
Dusseldorf Alemanha 37 L3
Dzungarian, Bacia *bacia hidrográfica* China 48 H4

• • E • •

Ebro *rio* Espanha 35 O9
Edimburgo *capital de país* Escócia, Reino Unido 35 O3
Edmonton *capital de província* Alberta, Canadá 20 H8
Efate *ilha* Vanuatu 55 K8
Egeu, Mar *mar* Mar Mediterrâneo 39 O10
Egito *país* NE África 29 M6
Egmont, Cabo *cabo* Nova Zelândia 57 K5
Eindhoven Holanda 35 Q5
Ekaterinburg Rússia 40 H8
El Aaiún *capital de país* Saara Ocidental 28 F6
El Paso Texas, EUA 23 K9
El Salvador *país* América Central 24 J9
Elba *rio* República Tcheca/Alemanha 37 N2
Elbrus *montanha* Rússia 40 D9
Ellesmere, Ilha de *ilha* Canadá 21 L2
Emirados Árabes Unidos *país* SO Ásia 43 Q8
Enderby Land *região física* Antártida 59 R7
Equador *país* O América do Sul 27 M4
Erdnet Mongólia 49 K3
Erebus, Monte *montanha* Antártida 59 Q11
Erie, Lago *lago* Canadá/EUA 23 Q5
Eritreia *país* L África 29 O8
Erzurum Turquia 43 M2
Escandinávia *região física* N Europa 10 C3
Escócia *território nacional* Reino Unido 35 N2
Escudo Canadense *região física* Canadá 20 J6
Esfahan Irã 43 P5
Eskisehir Turquia 43 K2
Eslováquia *país* C Europa 37 P5
Eslovênia *país* C Europa 37 O6
Espanha *país* SO Europa 35 N10
Espírito Santo *ilha* Vanuatu 55 K8
Espoo Finlândia 33 Q8
Essen Alemanha 37 L3
Estados Unidos *país* C América do Norte 23 K5
Estocolmo *capital de país* Suécia 33 O8
Estônia *país* L Europa 33 Q9
Estrasburgo França 35 R6
Etiópia *país* L África 29 O10
Etiópia, Planalto da *cadeia de montanhas* Etiópia 29 O9
Etna, Monte *vulcão* Itália 37 O11
Eufrates *rio* SO Ásia 43 N4
Europa *continente* 10 C4
Everest, Monte *montanha* China/Nepal 47 Q4
Eyre Norte, Lago *lago* Austrália 53 M7

• • F • •

Faisalabad Paquistão 47 M3
Falkland, Ilhas *arquipélago* S Oceano Atlântico 11 R11
Falkland, Ilhas *território do Reino Unido* S Oceano Atlântico 27 P11
Farewell, Cabo *cabo* Nova Zelândia 57 K6
Farg'ona Uzbequistão 45 O8
Faro Portugal 35 L11
Faroé, Ilhas *arquipélago* NO Europa 10 B3
Faroé, Ilhas *território holandês* NO Europa 33 K3
Fiji *arquipélago* SO Oceano Pacífico 11 L8
Fiji *país* SO Oceano Pacífico 55 L9
Filadélfia Pensilvânia, EUA 23 R5
Filipinas *arquipélago* SE Ásia 10 I7
Filipinas *país* SE Ásia 51 M6
Filipinas, Mar da *mar* O Oceano Pacífico 10 I6
Finlândia *país* N Europa 33 Q3
Finlândia, Golfo da *elemento marítimo* NE Oceano Atlântico 33 Q8
Fiordland *região física* Nova Zelândia 56 G11
Flinders, Montes *cadeia de montanhas* Austrália 53 M9
Florença Itália 37 M8
Flores *ilha* Indonésia 51 M11
Flores, Mar de *mar* O Oceano Pacífico 51 M11
Florianópolis Brasil 27 Q8
Flórida *estado* EUA 23 Q9
Florida Keys *arquipélago* EUA 23 Q11
Fongafale *capital de país* Tuvalu 55 M7
Fort Worth EUA 23 M8
Fortaleza Brasil 27 S4
Foveaux, Estreito de *elemento marítimo* Nova Zelândia 56 H11
França *país* O Europa 35 P7
Frankfort *capital de estado* Kentucky, EUA 23 P6
Frankfurt am Main Alemanha 37 M4
Franz Josef, Terra de *arquipélago* Rússia 40 J3
Fraser *rio* Canadá 20 G8
Fredericton *capital de província* New Brunswick, Canadá 21 P10
Freetown *capital de país* Serra Leoa 28 F10
Fremantle Austrália Ocidental 52 G9
Fresno Califórnia, EUA 22 G6
Frome, Lago *lago* Austrália 53 M8
Fuji, Monte *montanha* Japão 49 S6
Fukuoka Japão 49 Q7
Funafuti *ilha* Tuvalu 55 M7
Fundy, Baía de *elemento marítimo* Canadá 21 P10
Fushun China 49 O5
Futuna *ilha* Wallis e Futuna 55 M8
Fuzhou China 49 O10

• • G • •

Gabão *país* C África 30 H5
Gaborone *capital de país* Botswana 31 K9
Gairdner, Lago *lago* Austrália 53 L8
Galápagos, Ilhas *arquipélago* Equador 27 K4
Galati Romênia 39 P7
Gales, País de *território nacional* Reino Unido 35 N4
Galle Sri Lanka 47 O12
Galway Irlanda 35 M4
Gâmbia *país* O África 28 E9
Gambier, Ilhas *arquipélago* Polinésia Francesa 55 Q9
Gana *país* O África 28 H10
Ganges *rio* Bangladesh/Índia 47 Q5
Ganges, Delta do *delta* Bangladesh/Índia 47 R6
Garda, Lago de *lago* Itália 37 M6
Gardez Afeganistão 45 O11
Garone *rio* França 35 O8
Gaths Orientais *cadeia de montanhas* Índia 47 O9
Gavle Suécia 33 O8
Gaza, Faixa de *território disputado* SO Ásia 43 K5
Gaziantep Turquia 43 L3
Gdansk Polônia 37 P1
Geelong Victoria, Austrália 53 N11
Genebra Suíça 37 L6
Genebra, Lago *lago* França/Suíça 37 K6
Gênova Itália 37 L7
George V Land *região física* Antártida 59 R11
Georgetown *capital de país* Guiana 27 P2
Geórgia *estado* EUA 23 Q8
Geórgia *país* SO Ásia 43 N2
Geórgia do Sul *ilha* S Oceano Atlântico 11 S11
Geórgia do Sul e Sandwich do Sul, Ilhas *território do Reino Unido* S Oceano Atlântico 13 S11
Geraldton Austrália Ocidental 52 F8
Ghaghara *rio* Índia 47 P5
Ghats Ocidentais *cadeia de montanhas* Índia 47 M8
Ghaziabad Índia 47 N11
Ghazni Afeganistão 45 N11
Ghent Bélgica 35 Q5
Gibraltar *território do Reino Unido* SO Europa 35 N12
Gibson, Deserto de *deserto* Austrália 53 Q6
Gijón Espanha 35 N8
Gisborne Nova Zelândia 57 N5
Gizé Egito 29 N6
Gladstone Queensland, Austrália 53 Q6
Glama *rio* Noruega 33 M8
Glasgow Escócia, Reino Unido 35 N3
Gobi *deserto* China/Mongólia 49 L5
Godavari *rio* Índia 47 O7
Goiânia Brasil 27 Q6
Gold Coast Queensland, Austrália 53 Q7
Gotemburgo Suécia 33 M9
Gotland *ilha* Suécia 33 O10
Grã-Bretanha *ilha* Reino Unido 10 B4
Granada Espanha 35 N11
Grand Canyon *vale* EUA 22 I7
Grande Bacia *bacia hidrográfica* EUA 11 O5
Grande Baía Australiana *elemento marítimo* L Oceano Índico 52 J9
Grande Barreira de Corais *recife* Austrália 53 P4
Grande Barreira, Ilha da *ilha* Nova Zelândia 57 M3
Grande Chaco *planície* C América do Sul 27 O7
Grande Cordilheira Divisória *cadeia de montanhas* Austrália 53 P9
Grande Deserto Arenoso *deserto* Austrália 52 I5
Grande Deserto Victoria *deserto* Austrália 52 J7
Grande Khingan *cadeia de montanhas* China 49 O4
Grande Lago Salgado *lago salgado* EUA 22 I5
Grande Muralha da China *muralha* China 49 L6
Grande Reservatório *represa* Canadá 21 N8
Grande Rift, Vale do *vale* África/Ásia 10 D7
Grande, Baía *elemento marítimo* SO Oceano Atlântico 27 O11
Grande, Rio *rio* México/EUA 11 P5
Grandes Antilhas *arquipélago* Caribe 25 L7
Grandes Lagos *lagos* Canadá/EUA 11 Q4
Grandes Planícies *planície* Canadá/EUA 11 O4
Graz Áustria 37 O6
Grécia *país* SE Europa 39 N10
Grenada *país* Caribe 25 S9
Grenoble França 35 Q8
Greymouth Nova Zelândia 56 J8
Groenlândia *território dinamarquês* NE América do Norte 11 S2
Groenlândia, Mar da *mar* Oceano Ártico 58 D6
Groningen Holanda 35 Q4
Groznyy Rússia 40 E9
Guadalajara México 24 F7
Guadalcanal *ilha* Ilhas Salomão 54 J7
Guadalquivir *rio* Espanha 35 N11
Guadalupe *território francês* Caribe 25 S8
Guadiana *rio* Espanha 35 N10
Guam *território dos EUA* O Oceano Pacífico 54 H4
Guangzhou China 49 M11
Guantánamo, Baía de *território dos EUA* Caribe 25 O7
Guatemala *país* América Central 24 J8
Guayaquil Equador 27 M4
Guayaquil, Golfo de *elemento marítimo* L Oceano Pacífico 27 L4
Guiana *país* N América do Sul 27 P2
Guiana Francesa *território francês* N América do Sul 27 Q3
Guianas, Planalto das *cadeia de montanhas* N América do Sul 27 P3
Guiné *país* O África 28 F9
Guiné Equatorial *país* O África 30 G4
Guiné, Golfo da *elemento marítimo* L Oceano Atlântico 28 I11
Guiné-Bissau *país* O África 28 E9
Guiyang China 49 L10
Gujranwala Paquistão 47 M3
GunnbjØrn Fjeld *montanha* Groenlândia 58 C7
Guwahati Índia 47 R5
Gyor Hungria 39 M5

• • H • •

Haast Nova Zelândia 56 I9
Hagatna *capital de país* Guam 54 I4
Hai Phong Vietnã 50 J3
Haia *capital de país* Holanda 35 Q5
Hainan Dao *ilha* China 49 L12
Halifax *capital de província* Nova Escócia, Canadá 21 Q10
Halmahera *ilha* Indonésia 51 O9
Hamadan Irã 43 O4
Hamburgo Alemanha 37 M2
Hamersley, Maciço de *cadeia de montanhas* Austrália 52 G6
Hamhung Coreia do Norte 49 P6
Hamilton Nova Zelândia 57 L4
Hamilton Ontário, Canadá 21 N11
Hammerfest Noruega 33 P1
Handan China 49 N7
Hangzhou China 49 O9
Hannover Alemanha 37 M3
Hanói *capital de país* Vietnã 50 I3
Haora Índia 47 R6
Harare *capital de país* Zimbábue 31 L8
Harbin China 49 P4
Harrisburg *capital de estado* Pensilvânia, EUA 23 R6
Hartford *capital de estado* Connecticut, EUA 23 S5
Hastings Nova Zelândia 57 M6
Hat Yai Tailândia 50 H7
Havaí *estado* EUA 22 J11
Havaí *ilha* Havaí, EUA 22 I12
Havaí, Ilhas do *arquipélago* EUA 55 O2
Havana *capital de país* Cuba 25 L6
Havre França 35 P6
Heard e McDonald, Ilhas *território australiano* S Oceano Índico 12 G11
Hébridas Exteriores *arquipélago* Escócia, Reino Unido 35 M1
Hefei China 49 N8
Helena *capital de estado* Montana, EUA 22 J4
Helmand *rio* Afeganistão/Irã 45 M12
Helsingborg Suécia 33 M10
Helsinki *capital de país* Finlândia 33 Q8
Herat Afeganistão 45 L10
Hermosillo México 24 E4
Hervey Bay Queensland, Austrália 53 Q7
Hiiumaa *ilha* Estônia 33 P9
Himalaia *cadeia de montanhas* S Ásia 10 G5
Hindu Kush *cadeia de montanhas* Afeganistão/Paquistão 10 F5
Hiroshima Japão 49 R7
Hispaniola *ilha* República Dominicana/Haiti 25 O7
Hkakabo Razi *montanha* Mianmar/China 50 G1
Ho Chi Minh Vietnã 50 I6
Hobart *capital de estado* Tasmânia, Austrália 53 O12
Hodeida Iêmen 43 N11
Hohhot China 49 M6
Hokkaido *ilha* Japão 49 S4
Holanda *país* NO Europa 35 Q4
Homs Síria 43 L4
Homyel Bielorrússia 39 Q3
Honduras *país* América Central 25 K9
Hong Kong China 49 N11
Honiara *capital de país* Ilhas Salomão 54 J7

HONOLULU — LUXEMBURGO

Honolulu *capital de estado* Havaí, EUA **22 I11**
Honshu *ilha* Japão **49 S6**
Horn, Cabo *cabo* Chile **27 O12**
Houston Texas, EUA **23 N9**
Hrondna Bielorrússia **39 O2**
Huambo Angola **30 I7**
Hubli Índia **47 M8**
Hudson, Baía de *elemento marítimo* Canadá **21 L7**
Hudson, Estreito de *elemento marítimo* Canadá **21 N6**
Hué Vietnã **50 J4**
Hungria *país* C Europa **39 M6**
Huron, Lago *lago* Canadá/EUA **23 P4**
Hyderabad Índia **47 N8**
Hyderabad Paquistão **47 K5**

• • I • •

Iamal, Península de *península* Rússia **40 J6**
Iasi Romênia **39 P6**
Ibérica, Península *península* SO Europa **10 B5**
Ibiza *ilha* Espanha **35 P10**
Ibri Omã **43 R8**
Ica Peru **27 N6**
Idaho *estado* EUA **22 I5**
Iêmen *país* SO Ásia **43 O11**
Ienissei *rio* Rússia **41 K7**
Ierevan *capital de país* Armênia **43 N2**
Ile *rio* China/Casaquistão **45 P6**
Ilha de Ascensão *ilha* C Oceano Atlântico **12 A8**
Ilhas Salomão *país* SO Oceano Pacífico **54 J7**
Illinois *estado* EUA **23 O6**
Ilulissat Groenlândia **58 B6**
Imperatriz Brasil **27 R4**
Imphal Índia **47 S5**
Inchon Coreia do Sul **49 P6**
Índia *país* S Ásia **47 N6**
Indiana *estado* EUA **23 P6**
Indianápolis *capital de estado* Indiana, EUA **23 P6**
Índias Britânicas *território do Reino Unido* C Oceano Índico **12 F8**
Índias Ocidentais *arquipélago* S América do Norte **11 R6**
Índias Orientais Holandesas *arquipélago* SE Ásia **10 H8**
Índico, Oceano *oceano* **10 G9**
Indigirka *rio* Rússia **41 O6**
Indonésia *país* SE Ásia **50 H10**
Indore Índia **47 N6**
Indore *rio* S Ásia **47 L4**
Inglaterra *território nacional* Reino Unido **35 O4**
Innsbruck Áustria **37 N6**
Invercargill Nova Zelândia **56 H11**
Inverness Escócia, Reino Unido **35 N2**
Iowa *estado* EUA **23 N5**
Ipoh Malásia **50 H8**
Iqaluit *capital de território* Nunavut, Canadá **21 N5**
Iquique Chile **27 N7**
Iquitos Peru **27 N4**
Irã *país* SO Ásia **43 Q5**
Iráclio Grécia **39 O12**
Iraniano, Platô *planalto* rã **43 Q5**
Iraqueue *país* SO Ásia **43 N4**
Irauádi, Delta do *delta* Mianmar **50 F4**
Irbil Iraque **43 N4**
Irkutsh Rússia **41 L10**
Irlanda *ilha* Irlanda/Reino Unido **10 B4**
Irlanda *país* NO Europa **35 M4**
Irlanda do Norte *província* Reino Unido **35 M3**
Irtysh *rio* C Ásia **10 G4**
Ishim *rio* Casaquistão/Rússia **45 N2**
Islamabad *capital de país* Paquistão **47 M2**
Islândia *ilha* NO Europa **10 B3**
Islândia *país* NO Europa **33 L2**
Ismail Samani, Pico *montanha* Tajiquistão **45 P8**
Israel *país* SO Ásia **43 K5**
Issyk-Kul', Lago *lago* Turcomenistão **45 Q7**
Istambul Turquia **42 J2**
Itabuna Brasil **27 S6**
Itália *país* S Europa **37 N8**
Ittoqqortoormiit Groenlândia **58 C7**
Iucatã, Península do *península* México **24 J7**
Ivano-Frankivs'k Ucrânia **39 O5**
Izmir Turquia **42 J3**

• • J • •

Jabalpur Índia **47 O6**
Jacarta *capital de país* Indonésia **50 I11**
Jackson *capital de estado* Mississippi, EUA **23 O8**
Jacksonville Flórida, EUA **23 Q9**
Jaffna Sri Lanka **47 O10**
Jaipur Índia **47 N4**
Jalalabad Afeganistão **45 O10**
Jamaica *país* Caribe **25 M7**
Jambi Indonésia **50 I9**
Jamshedpur Índia **47 Q6**
Jan Mayen N Oceano Atlântico **12 B2**
Japão *país* E Ásia **49 S6**
Japão, Mar do *mar* NO Oceano Pacífico **10 I5**
Jarvis, Ilha *território dos EUA* C Oceano Pacífico **55 O6**
Java *ilha* Indonésia **50 J11**
Java, Mar de *mar* O Oceano Pacífico **51 K11**
Jayapura Indonésia **50 J11**
Jedda Arábia Saudita **43 M9**
Jefferson City *capital de estado* Missouri, EUA **23 N6**
Jerusalém *capital de país* Israel **43 L5**
Jilin China **49 P4**
Jinan China **49 N7**
Johannesburgo África do Sul **31 K10**
Johnston, Atol *território dos EUA* C Oceano Pacífico **55 N3**
Johor Bahru Malásia **50 I8**
Jônico, Mar *mar* Mar Mediterrâneo **39 M10**
Jordânia *país* SO Ásia **43 L6**
Juan Fernández, Arquipélago de *arquipélago* Chile **11 P10**
Juazeiro Brasil **27 S5**
Juiz de Fora Brasil **27 R7**
Juneau *capital de estado* Alasca, EUA **22 G10**
Jyväskylä Finlândia **33 Q7**

• • K • •

K2 *montanha* China/Paquistão **47 N1**
Kabul *capital de país* Afeganistão **45 O10**
Kagoshima Japão **49 Q8**
Kahmard *rio* Afeganistão **45 N10**
Kaikoura Nova Zelândia **57 K8**
Kalahari, Deserto do *deserto* S África **30 J9**
Kalgoorlie Austrália Ocidental **52 H8**
Kaliningrado Rússia **40 D5**
Kaliningrado *província* Rússia **40 D5**
Kalyan Índia **47 M7**
Kamchatka, Península de *península* Rússia **41 R7**
Kamloops Colúmbia Britânica, Canadá **20 G9**
Kananga Gabão **30 J6**
Kandahar Afeganistão **45 N11**
Kandy Sri Lanka **47 O11**
Kangaroo, Ilha *ilha* Austrália **53 L10**
Kanpur Índia **47 O5**
Kansas *estado* EUA **23 M7**
Kansas City Missouri, EUA **23 N6**
Kaohsiung Taiwan **49 O11**
Kara, Mar de *mar* Oceano Ártico **58 E5**
Karachi Paquistão **47 K5**
Karaganda Casaquistão **45 P4**
Karakol Turcomenistão **45 Q7**
Karakoram, Cordilheira do *cadeia de montanhas* C Ásia **47 N1**
Karakum, Deserto do *deserto* Turcomenistão **45 L8**
Karbala Iraque **43 N5**
Kasai *rio* República Democrática do Congo **30 J6**
Katmandu *capital de país* Nepal **47 Q4**
Katowice Polônia **37 P4**
Kattegat *elemento marítimo* NE Oceano Atlântico **33 M10**
Kauai *ilha* Havaí, EUA **22 I11**
Kavala Grécia **39 O9**
Kavir, Dasht-e *salina* Iraque **43 Q4**
Kayaseri Turquia **43 L3**
Kazbek *montanha* Geórgia **43 N2**
Kebnekaise *montanha* Suécia **33 O3**
Kelowna Colúmbia Britânica, Canadá **20 G9**
Kemerovo Rússia **40 J9**
Kemijoki *rio* Finlândia **33 Q4**
Kendari Indonésia **51 N10**
Kentucky *estado* EUA **23 P7**
Kerguelen *ilha* Territórios Franceses do Sul e da Antártida **10 F11**
Kerkyra Grécia **39 M10**

• • K (cont.)

Kerman Irã **43 R6**
Kermanshah Irã **43 O5**
Khabarovsk Rússia **41 P10**
Kharkiv Ucrânia **39 S4**
Khujand Tajiquistão **45 O8**
Khulna Bangladesh **47 R6**
Kiev *capital de país* Ucrânia **39 Q4**
Kigali *capital de país* Rwanda **31 L5**
Kilimanjaro *montanha* Tanzânia **31 M5**
Kimberley, Planalto de *planalto* Austrália **52 L4**
Kinabalu, Monte *montanha* Malásia **51 L7**
King Christian IX Land *região física* Groenlândia **58 B7**
Kingman, Recife *território dos EUA* C Oceano Pacífico **55 N5**
Kingston *capital de país* Jamaica **25 N8**
Kinshasa *capital de país* República Democrática do Congo **30 I5**
Kiribati *país* C Oceano Pacífico **55 M6**
Kirimati *ilha* Kiribati **55 O6**
Kirkuk Iraque **43 N4**
Kirov Rússia **40 G7**
Kirovohrad Ucrânia **39 R5**
Kisangani República Democrática do Congo **31 K5**
Kisumu Quênia **31 M5**
Kitakyushu Japão **49 Q7**
Kitchener Ontário, Canadá **21 N11**
Kitwe Zâmbia **31 K7**
Kizil Irmak *rio* Turquia **43 K2**
Klaipeda Lituânia **33 P11**
Klang Malásia **50 H8**
Klaralven *rio* Suécia **33 N8**
Klyuchevskaya Sopka, Vulcão *vulcão* Rússia **41 R7**
Knud Rasmussen Land *região física* Groenlândia **58 C5**
Ko Samui *ilha* Tailândia **50 H6**
Kobe Japão **49 R7**
Kochi Índia **47 N10**
Kokshetau Casaquistão **45 O2**
Kola, Península de *península* Rússia **40 G5**
Kolima *rio* Rússia **41 P6**
Kolima, Montes *cadeia de montanhas* Rússia **41 Q7**
Kolwezi República Democrática do Congo **31 K7**
Komotini Grécia **39 O9**
Konya Turquia **43 K3**
Koryak, Montes *cadeia de montanhas* Rússia **41 R6**
Kosciuszko, Monte *montanha* Austrália **53 O10**
Kosice Eslováquia **37 Q5**
Kosovo *país disputado* SE Europa **39 N8**
Kosrae *ilha* Micronésia **54 J5**
Kostanay Casaquistão **45 M3**
Kota Kinabalu Malásia **51 L7**
Kra, Istmo de *istmo* Malásia/Tailândia **50 G6**
Krasnodar Rússia **40 D8**
Krasnoyarsk Rússia **41 K9**
Krishna *rio* Índia **47 N8**
Kristiansand Noruega **33 L9**
Kryvvy Rih Ucrânia **39 R5**
Kuala Lumpur *capital de país* Malásia **50 H8**
Kuala Terengganu Malásia **50 H7**
Kuching Malásia **50 J9**
Kulob Tajiquistão **45 O9**
Kunduz Afeganistão **45 O9**
Kunlun, Montes *cadeia de montanhas* China **48 F6**
Kunming China **49 K10**
Kuopio Finlândia **33 R6**
Kupang Indonésia **51 N12**
Kura *rio* SO Ásia **43 O2**
K'ut'aisi Geórgia **43 N2**
Kuwait *capital de país* Kuwait **43 O6**
Kuwait *país* SO Ásia **43 O6**
Kyoto Japão **49 R7**
Kyushu *ilha* Japão **49 R8**
Kyzyl Kum, Deserto de *deserto* Casaquistão/Uzbequistão **45 M6**
Kyzylorda Casaquistão **45 N6**

• • L • •

La Coruña Espanha **35 M8**
La Paz México **24 E5**
La Paz *capital de país* Bolívia **27 O6**
La Plata Argentina **27 P9**
Labrador, Mar do *mar* NO Oceano Atlântico **11 R4**
Lacadivas, Ilhas *arquipélago* Índia **47 L10**

• • L (cont.)

Ladoga, Lago *lago* Rússia **40 F5**
Lagos Nigéria **28 I10**
Lahore Paquistão **47 M3**
Lahti Finlândia **33 Q7**
Lalitpur Nepal **47 P4**
Lamia Grécia **39 N10**
Lanai *ilha* Havaí, EUA **22 I12**
Lansing *capital de estado* Michigan, EUA **23 P5**
Lanzhou China **49 K7**
Laos *país* SE Ásia **50 H3**
Lapônia *região cultural* N Europa **33 P3**
Laptev, Mar de *mar* Oceano Ártico **58 E3**
Larisa Grécia **39 N10**
Las Vegas Nevada, EUA **22 I7**
Lau, Ilhas *arquipélago* Fiji **55 M8**
Launceston Tasmânia, Austrália **53 O2**
Laurentianas, Montanhas *cadeia de montanhas* Canadá **21 O9**
Leeds Inglaterra, Reino Unido **35 O4**
Leeuwin, Cabo *cabo* Austrália **52 F9**
Leeward, Ilhas *arquipélago* Caribe **25 R7**
Leipzig Alemanha **37 N3**
Lena *rio* Rússia **41 N7**
León México **24 G6**
León Nicarágua **25 K9**
Lérida Espanha **35 P9**
Lesbos *ilha* Grécia **39 K10**
Lesoto *país* S África **31 K11**
Leste, Cabo *cabo* Nova Zelândia **57 N4**
Lethbridge Alberta, Canadá **20 H9**
Letônia *país* L Europa **33 Q10**
Lhanos *planície* Colômbia/Venezuela **27 N2**
Lhasa China **48 H8**
Líbano *país* SO Ásia **43 K4**
Libéria *país* O África **28 F10**
Líbia *país* N África **29 K6**
Líbia, Deserto da *deserto* NO África **29 L6**
Libreville *capital de país* Gabão **30 H5**
Liechtenstein *país* C Europa **37 M6**
Liepaja Letônia **33 P10**
Ligúria, Mar da *mar* Mar Mediterrâneo **37 L8**
Lille França **35 P5**
Lillehammer Noruega **33 M7**
Lilongue *capital de país* Malawi **31 L7**
Lima *capital de país* Peru **27 M5**
Limerick Irlanda **35 M4**
Limoges França **35 P7**
Limon Costa Rica **25 L10**
Limpopo *rio* S África **31 L9**
Lincoln *capital de estado* Nebrasca, EUA **23 M6**
Line, Ilhas *arquipélago* Kiribati **55 P5**
Linkoping Suécia **33 N9**
Linz Áustria **37 O5**
Lisboa *capital de país* Portugal **35 L10**
Little Rock *capital de estado* Arkansas, EUA **23 N8**
Lituânia *país* L Europa **33 P11**
Liubliana *capital de país* Eslovênia **37 O6**
Liverpool Inglaterra, Reino Unido **35 O4**
Lodz Polônia **37 Q3**
Logan, Monte *montanha* Canadá **20 F5**
Loire *rio* França **35 O7**
Lombok *ilha* Indonésia **51 L11**
Lomé *capital de país* Togo **28 I10**
Londres Ontário, Canadá **21 N11**
Londres *capital de país* Inglaterra, Reino Unido **35 O5**
Long Beach Califórnia, EUA **22 H8**
Los Angeles Califórnia, EUA **22 H7**
Louangphabang Laos **50 H3**
Louisiana *estado* EUA **23 N9**
Louisville Kentucky, EUA **23 P6**
Lower Hut Nova Zelândia **57 L7**
Loyalty, Ilhas *arquipélago* Nova Caledônia **55 K9**
Luanda *capital de país* Angola **30 I6**
Lubango Angola **30 I8**
Lublin Polônia **37 R3**
Lubumbashi República Democrática do Congo **31 K7**
Lucknow Índia **47 O4**
Ludhiana Índia **47 N3**
Luhans'k Ucrânia **39 T4**
Lulea Suécia **33 P5**
Luoyang China **49 M7**
Lusaca *capital de país* Zâmbia **31 K8**
Lut, Dasht-e *deserto* Irã **43 R5**
Luts'k Ucrânia **39 O4**
Lützow-Holm, Baía de *elemento marítimo* Oceano Antártico **59 R7**
Luxemburgo *capital de país* Luxemburgo **35 Q5**

LUXEMBURGO — NOVO MÉXICO

Luxemburgo *país* NO Europa **35 Q5**
Luzon *ilha* Filipinas **51 M4**
L'viv Ucrânia **39 O4**
Lyon França **35 Q7**

• • M • •

Macao China **49 M11**
Macapá Brasil **27 Q3**
Macdonnell, Montanhas *cadeia de montanhas* Austrália **53 K6**
Macedônia *país* SE Europa **39 N9**
Maceió Brasil **27 T5**
Maciço Central *planalto* França **35 P8**
Mackay Queensland, Austrália **53 P5**
Mackay, Lago *lago* Austrália **52 J5**
Mackenzie *rio* Canadá **20 H5**
Mackenzie, Baía de *elemento marítimo* Oceano Antártico **59 S8**
Mackenzie, Montanhas *cadeia de montanhas* Canadá **20 G4**
Madagascar *ilha* SE África **10 E9**
Madagascar *país* SE África **31 N9**
Madeira *rio* Bolívia/Brasil **27 P4**
Madeira *ilha* Portugal **34 I11**
Madison *capital de estado* Wisconsin, EUA **23 O5**
Madre do Sul, Sierra *cadeia de montanhas* México **24 G8**
Madre Ocidental, Sierra *cadeia de montanhas* México **24 E4**
Madre Oriental, Sierra *cadeia de montanhas* México **24 G5**
Madre, Laguna *elemento marítimo* México **24 H5**
Madri *capital de país* Espanha **35 N10**
Madurai Índia **47 N10**
Magadã Rússia **41 Q7**
Magalhães, Estreito de *elemento marítimo* Argentina/Chile **27 O12**
Magdalena *rio* Colômbia **27 M3**
Magdeburgo Alemanha **37 N3**
Magwe Mianmar **50 G3**
Mahilyow Bielorrússia **39 Q2**
Maine *estado* EUA **23 S4**
Mainz Alemanha **37 L4**
Maiorca *ilha* Espanha **35 P10**
Maiote *território francês* SE África **31 N7**
Makassar Indonésia **51 M10**
Makassar, Estreito de *elemento marítimo* O Oceano Pacífico **51 L10**
Makran, Cordilheira do *cadeia de montanhas* Paquistão **46 J4**
Malabar, Costa *zona costeira* Índia **47 M9**
Malabo *capital de país* Guiné Equatorial **30 H4**
Malaca, Estreito de *elemento marítimo* Indonésia/Malásia **50 H8**
Málaga Espanha **35 N12**
Malang Indonésia **51 K11**
Malásia *país* SE Ásia **50 H8**
Malásia, Península da *península* Malásia/Tailândia **50 H7**
Malatya Turquia **43 M3**
Malawi *país* S África **31 M7**
Malawi, Lago *lago* S África **31 M7**
Maldivas *país* S Ásia **47 K10**
Maldivas, Ilhas *arquipélago* S Ásia **10 F7**
Male *capital de país* Maldivas **47 K11**
Malekula *ilha* Vanuatu **55 K8**
Mali *país* O África **28 H8**
Malmo Suécia **33 M11**
Malta *país* S Europa **37 N12**
Man, Ilha de *território do Reino Unido* O Europa **12 B4**
Manado Indonésia **51 N9**
Manágua *capital de país* Nicarágua **25 K9**
Manama *capital de país* Barein **43 P7**
Manaus Brasil **27 P4**
Mancha, Canal da *elemento marítimo* NE Oceano Atlântico **35 O5**
Manchester Inglaterra, Reino Unido **35 O4**
Manchúria *região cultural* China **49 O4**
Manchúria, Planície da *planície* China **10 I4**
Mandalay Mianmar **50 G3**
Mandurah Austrália Ocidental **52 G9**
Manila *capital de país* Filipinas **51 M5**
Manitoba *província* Canadá **21 K8**
Manitsoq Groenlândia **58 A6**
Mannar, Golfo de *elemento marítimo* N Oceano Índico **47 N11**
Manurewa Nova Zelândia **57 L3**

Maputo *capital de país* Moçambique **31 L10**
Mar del Plata Argentina **27 P9**
Maracaibo Venezuela **27 N2**
Marajó, Ilha de *ilha* Brasil **27 R3**
Marañón *rio* Peru **27 M4**
Marianas do Norte, Ilhas *território dos EUA* O Oceano Pacífico **54 I3**
Marianas, Ilhas *arquipélago* Guam/Ilhas Marianas do Norte **54 I4**
Maribor Eslovênia **37 O6**
Marie Byrd Land *região física* Antártida **59 O10**
Mariupol' Ucrânia **39 T5**
Maroochydore-Mooloolaba Queensland, Austrália **53 Q7**
Marquesas, Ilhas *arquipélago* Polinésia Francesa **55 R7**
Marrakesh Marrocos **28 G5**
Marrocos *país* NO África **28 G5**
Marselha França **35 Q8**
Marshall, Ilhas *arquipélago* C Oceano Pacífico **11 K7**
Marshall, Ilhas *país* C Oceano Pacífico **55 K4**
Martaban, Golfo de *elemento marítimo* NE Oceano Índico **50 G4**
Martinica *território francês* Caribe **25 S8**
Mary Turcomenistão **45 L9**
Maryland *estado* EUA **23 S6**
Mascate *capital de país* Omã **43 S8**
Maseru *capital de país* Lesoto **31 K10**
Mashrad Irã **43 R3**
Massachusetts *estado* EUA **23 S5**
Masterton Nova Zelândia **57 L7**
Matanzas Cuba **25 M6**
Mataram Indonésia **51 L11**
Mataura *rio* Nova Zelândia **56 I11**
Mata'utu *capital de país* Wallis e Futuna **55 M8**
Mato Grosso, Planalto do *planalto* Brasil **27 QS**
Maui *ilha* Havaí, EUA **22 J11**
Maurício *ilha* SO Oceano Índico **10 F9**
Maurício *país* SO Oceano Índico **31 P8**
Mauritânia *país* O África **28 F7**
Mazar-e Sharif Afeganistão **45 N9**
Mazatlán México **24 F6**
Mbabane *capital de país* Suazilândia **31 L10**
Mbandaka República Democrática do Congo **30 J5**
Mbuji-Mayi República Democrática do Congo **31 K6**
McKinley, Monte *montanha* EUA **22 G10**
Meca Arábia Saudita **43 M9**
Medan Indonésia **50 G8**
Medellín Colômbia **27 M2**
Medicine Hat Alberta, Canadá **20 I9**
Medina Arábia Saudita **43 M8**
Mediterrâneo, Mar *mar* África/Ásia/Europa **10 C5**
Meerut Índia **47 N4**
Meiktila Mianmar **50 G3**
Mekong *rio* SE Ásia **10 H6**
Melanésia *arquipélago* SO Oceano Pacífico **54 J6**
Melbourne *capital de estado* Victoria, Austrália **52 O11**
Melville, Ilha de *ilha* Austrália **53 K1**
Melville, Ilha de *ilha* Canadá **58 B4**
Memphis Tennessee, EUA **23 O8**
Mendoza Argentina **27 O9**
Mentawai, Ilhas *arquipélago* Indonésia **50 G9**
Mergui, Arquipélago de *arquipélago* Mianmar **50 G6**
Mérida México **24 J7**
Mérida Espanha **35 M10**
Mersin Turquia **43 L3**
Mexicali México **24 D2**
México *país* S América do Norte **24 F6**
México, Golfo do *elemento marítimo* O Oceano Atlântico **11 P6**
Miami Flórida, EUA **23 R10**
Mianmar *país* SE Ásia **50 G3**
Michigan *estado* EUA **23 P4**
Michigan, Lago *lago* EUA **23 O5**
Micronésia *país* O Oceano Pacífico **54 I5**
Micronésia *arquipélago* O Oceano Pacífico **54 J4**
Midoro *ilha* Filipinas **51 M5**
Midway, Ilhas *território dos EUA* C Oceano Pacífico **55 M2**
Milão Itália **37 M7**
Mildura Victoria, Austrália **53 N9**

Milford Sound *elemento marítimo* Nova Zelândia **56 H9**
Milwaukee Wisconsin, EUA **23 O5**
Mindanao *ilha* Filipinas **51 N7**
Minneapolis Minnesota, EUA **23 N4**
Minnesota *estado* EUA **23 N4**
Minorca *ilha* Espanha **35 Q10**
Minsk *capital de país* Bielorrússia **39 P2**
Mirnyy Rússia **41 M8**
Miskolc Hungria **39 N5**
Mississippi *estado* EUA **23 O9**
Mississippi *rio* EUA **23 O8**
Mississippi, Delta do *delta* EUA **23 O10**
Missouri *estado* EUA **23 N7**
Missouri *rio* EUA **23 N6**
Moçambique *país* SE África **31 L9**
Moçambique, Canal de *elemento marítimo* O Oceano Índico **31 M9**
Mogadíscio *capital de país* Somália **29 P11**
Moldávia *país* L Europa **39 P5**
Molokai *ilha* EUA **22 I11**
Moluca, Mar de *mar* O Oceano Pacífico **51 N9**
Mombasa Quênia **31 M5**
Mônaco *país* O Europa **35 R8**
Moncton New Brunswick, Canadá **21 Q9**
Mongólia *país* E Ásia **49 K4**
Mongólia Interior *região cultural* China **49 M5**
Monróvia *capital de país* Libéria **28 F10**
Montana *estado* EUA **23 K4**
Montana Bulgária **39 N8**
Montenegro *país* SE Europa **39 M8**
Monterrey México **24 G5**
Montevidéu *capital de país* Uruguai **27 P9**
Montgomery *capital de estado* Alabama, EUA **23 P8**
Montpelier *capital de estado* Vermont, EUA **23 R4**
Montpellier França **35 Q8**
Montreal Quebec, Canadá **21 O10**
Montserrat *território do Reino Unido* Caribe **25 R8**
Monument Valley *vale* EUA **22 J7**
Morelia México **24 G7**
Moroni *capital de país* Comores **31 N7**
Morto, Mar *lago de água salgada* Israel/Jordânia **43 L5**
Mosa *rio* França **35 Q6**
Moscou *capital de país* Rússia **40 E7**
Moss Noruega **33 M8**
Mossoró Brasil **27 S4**
Mostar Bósnia e Herzegovina **39 M8**
Mosul Iraque **43 N14**
Moulmein Mianmar **50 G4**
Multan Paquistão **47 L3**
Munique Alemanha **37 N5**
Murantau Uzbequistão **45 M7**
Múrcia Espanha **35 O11**
Murmansk Rússia **40 G4**
Murray *rio* Austrália **53 N10**
Musala *montanha* Bulgária **39 O8**
Muyunkum, Deserto de *deserto* Casaquistão **45 O6**
My Tho Vietnã **50 I6**
Mykolayiv Ucrânia **39 R6**
Mysore Índia **47 N10**

• • N • •

Nagasaki Japão **49 Q8**
Nagoya Japão **49 S6**
Nagpur Índia **47 O6**
Nairóbi *capital de país* Quênia **31 M5**
Najaf Iraque **43 N5**
Nakhon Ratchasima Tailândia **50 H5**
Nam Dinh Vietnã **50 I3**
Namangan Uzbequistão **45 O7**
Namibe Angola **30 I8**
Namíbia *país* S África **30 I9**
Namíbia, Deserto da *deserto* Namíbia **30 I9**
Nanaimo Colúmbia Britânica, Canadá **20 F9**
Nanchang China **49 N9**
Nanning China **49 L11**
Nanquim China **49 O8**
Nantes França **35 O7**
Napier Nova Zelândia **57 M5**
Nápoles Itália **37 O9**
Narmada *rio* Índia **47 M6**
Narvik Noruega **33 O3**
Naryn Turcomenistão **45 Q7**
Naryn *rio* Turcomenistão/Uzbequistão **45 P7**
Nashik Índia **47 N7**

Nashville *capital de estado* Tennessee, EUA **23 P7**
Nassau *capital de país* Bahamas **25 N5**
Nasser, Lago *lago* Egito/Sudão **29 M7**
Natal Brasil **27 T4**
Natuna, Ilhas *arquipélago* Indonésia **50 J8**
Nauru *país* C Oceano Pacífico **55 K6**
Navoiy Uzbequistão **45 M8**
Naypyidaw *capital de país* Mianmar **50 G3**
Ndjamena *capital de país* Chade **29 K9**
Ndola Zâmbia **31 K7**
Nebraska *estado* EUA **23 L5**
Negombo Sri Lanka **47 O11**
Negra, Floresta *região física* Alemanha **37 L5**
Negro *rio* N América do Sul **27 O3**
Negro, Mar *mar* Ásia/Europa **10 D5**
Negro, Mar; Planície do *depressão* SE Europa **39 Q6**
Negros *ilha* Filipinas **51 M6**
Nelson Nova Zelândia **57 K7**
Neman *rio* Lituânia **33 P11**
Nepal *país* S Ásia **47 O4**
Neuquen Argentina **27 O10**
Nevada *estado* EUA **22 H5**
New Brunswick *província* Canadá **21 P9**
New Hampshire *estado* EUA **23 S4**
New Orleans Louisiana, EUA **23 O9**
New Plymouth Nova Zelândia **57 L5**
Newcastle Nova Gales do Sul, Austrália **53 Q9**
Newcastle upon Tyne Inglaterra, Reino Unido **35 O3**
Newfoundland *ilha* Canadá **21 Q8**
Newfoundland e Labrador *província* Canadá **21 P7**
Nha Tang Vietnã **50 J5**
Niágara, Cataratas do *queda-d'água* Canadá **21 O11**
Niamei *capital de país* Níger **28 I9**
Nicarágua *país* América Central **25 K9**
Nicarágua, Lago *lago* Nicarágua **25 L10**
Nice França **35 R8**
Nicobar, Ilhas *arquipélago* Índia **47 S11**
Nicósia *capital de país* Chipre **43 K4**
Níger *país* O África **28 J8**
Níger *rio* O África **28 H8**
Nigéria *país* O África **28 I9**
Nilo Azul *rio* Etiópia/Sudão **29 N9**
Nilo Azul *rio* NE África **29 N6**
Nilo Branco *rio* Sudão **29 N9**
Nipigon, Lago *lago* Canadá **21 L9**
Nis Sérvia **39 N8**
Niue *território neozelandês* S Oceano Pacífico **55 N8**
Nizhniy Novgorod Rússia **40 F7**
Norfolk, Ilha *território australiano* SO Oceano Pacífico **55 L10**
Norilsk Rússia **41 K6**
Norrkoping Suécia **33 N9**
Norte, Cabo *cabo* Noruega **33 P1**
Norte, Cabo *cabo* Nova Zelândia **57 K1**
Norte, Ilha do *ilha* Nova Zelândia **57 M5**
Norte, Mar do *mar* NE Oceano Atlântico **10 C4**
Norte-Europeia, Planície *planície* N Europa **10 D4**
Norte-Siberiana, Planície *depressão* Rússia **41 K6**
Noruega *país* N Europa **33 M7**
Noruega, Mar da *mar* NE Oceano Atlântico **58 D7**
Nouméa *capital de país* Nova Caledônia **55 K9**
Nova Bretanha *ilha* Papua Nova Guiné **54 I7**
Nova Caledônia *território francês* SO Oceano Pacífico **54 J8**
Nova Délhi *capital de país* Índia **47 N4**
Nova Escócia *península* Canadá **11 R5**
Nova Escócia *província* Canadá **21 Q10**
Nova Gales do Sul *estado* Austrália **53 O8**
Nova Guiné *ilha* Indonésia/Papua Nova Guiné **10 J8**
Nova Jersey *estado* EUA **23 R6**
Nova York *estado* EUA **23 R5**
Nova York Nova York, EUA **23 R5**
Nova Zelândia *arquipélago* SO Oceano Pacífico **11 L10**
Nova Zelândia *país* SO Oceano Pacífico **57 K6**
Nova Zemlia *arquipélago* Rússia **40 I5**
Novas Ilhas Siberianas *arquipélago* Rússia **41 N4**
Novi Sad Sérvia **39 M7**
Novo México *estado* EUA **23 K8**

Novokuznetsk Rússia **40 J9**
Nowra Nova Gales do Sul, Austrália **59 P10**
Nuakchott *capital de país* Mauritânia **28 F8**
Nuku'alofa *capital de país* Tonga **55 M9**
Nukus Uzbequistão **45 L7**
Nullarbor, Planície de *planície* Austrália **52 I8**
Nunap Issua *cabo* Groenlândia **58 A7**
Nunavut *território* Canadá **21 K5**
Nuuk *capital de país* Groenlândia **58 A6**
Nyiregyhaza Hungria **39 N5**

• • O • •

Oahu *ilha* Havaí, EUA **22 I11**
Oakland Califórnia, EUA **22 G6**
Oamaru Nova Zelândia **56 J10**
Oaxaca México **24 H8**
Ob *rio* Rússia **40 I7**
Ocidental Siberiana, Planície *planície* Rússia **40 I7**
Odense Dinamarca **33 L11**
Oder *rio* C Europa **37 O2**
Odesa Ucrânia **39 Q6**
Ohio *estado* EUA **23 P6**
Ohio *rio* EUA **23 P6**
Ohrid, Lago *lago* Albânia/Macedônia **39 M9**
Okavango *rio* S África **30 J8**
Okavango, Delta do *área inundada* Botswana **30 J9**
Okeechobee, Lago *lago* EUA **23 R10**
Okhotsk, Mar de *mar* NO Oceano Pacífico **41 Q8**
Oklahoma *estado* EUA **23 M8**
Oklahoma City *capital de estado* Oklahoma, EUA **23 M7**
Oland *ilha* Suécia **33 O10**
Olduvai, Garganta de *vale* Tanzânia **31 M5**
Olympia *capital de estado* Washington, EUA **22 H3**
Omã *país* SO Ásia **43 R9**
Omã, Golfo de *elemento marítimo* NO Oceano Índico **43 R7**
Omaha Nebraska, EUA **23 M6**
Omdurman Sudão **29 N8**
Omsk Rússia **40 I9**
Onega, Lago *lago* Rússia **40 F6**
Ontário *província* Canadá **21 L8**
Ontário, Lago *lago* Canadá/EUA **23 R4**
Orã Argélia **28 I4**
Orange *rio* S África **30 J10**
Orebro Suécia **33 N9**
Oregon *estado* EUA **22 H4**
Orenburgo Rússia **40 G9**
Oreor *capital de país* Palau **54 H5**
Orinoco *rio* Colômbia/Venezuela **27 O2**
Orkney, Ilhas *arquipélago* Escócia, Reino Unido **35 O1**
Orlando Flórida, EUA **23 Q9**
Orléans França **35 P6**
Ormuz, Estreito de *elemento marítimo* NO Oceano Índico **43 R7**
Orumiyeh Irã **43 N3**
Oruro Bolívia **27 O6**
Osaka Japão **49 R7**
Osh Quirguistão **45 P8**
Oshawa Ontário, Canadá **21 N11**
Osijek Croácia **39 M6**
Oslo *capital de país* Noruega **33 M8**
Östersund Suécia **33 N6**
Ostrava República Tcheca **37 P4**
Ottawa *capital de país* Ontário, Canadá **21 O10**
Ouagadougou *capital de país* Burkina Faso **28 H9**
Oulu Finlândia **33 Q5**
Ounasjoki *rio* Finlândia **33 Q4**
Oviedo Espanha **35 M8**

• • P • •

Pacífico, Oceano *oceano* **11 L5**
Padang Indonésia **50 H9**
Pago Pago *capital de país* Samoa Americana **55 N8**
Pakxé Laos **50 I5**
Palau *país* O Oceano Pacífico **54 G5**
Palawan *ilha* Filipinas **51 L6**
Palembang Indonésia **50 I10**
Palermo Itália **37 N11**
Palikir *capital de país* Micronésia **54 J5**
Palk, Estreito de *elemento marítimo* N Oceano Índico **47 O10**
Palliser, Cabo *cabo* Nova Zelândia **57 L7**
Palma Espanha **35 P10**

Palmyra, Atol *território dos EUA* C Oceano Pacífico **55 O5**
Palu Indonésia **51 M9**
Pamir *rio* Afeganistão/Tajiquistão **45 P9**
Pamir, Montes *cadeia de montanhas* C Ásia **45 P9**
Pampas Argentina **27 O9**
Panamá *país* América Central **25 M11**
Panamá, Canal do *canal* Panamá **25 M10**
Panay *ilha* Filipinas **51 M6**
Papeete *capital de país* Polinésia Francesa **55 Q8**
Papua *província* Indonésia **51 R10**
Papua Nova Guiné *país* SO Oceano Pacífico **54 I6**
Paquistão *país* S Ásia **47 K3**
Paracel, Ilhas SE Ásia **12 H6**
Paraguai *país* C América do Sul **27 P7**
Paraguai *rio* C América do Sul **11 R9**
Paramaribo *capital de país* Suriname **27 Q2**
Paraná *rio* C América do Sul **27 P8**
Paris *capital de país* França **35 P6**
Páscoa, Ilha de *ilha* Chile **11 O9**
Patagônia *região física* Argentina/Chile **27 O11**
Patna Índia **47 Q5**
Patos, Lagoa dos *elemento marítimo* SO Oceano Atlântico **27 Q8**
Patra Grécia **39 N10**
Pavlodar Casaquistão **45 P3**
Peace *rio* Canadá **20 I7**
Pechora *rio* Rússia **40 H6**
Pecs Hungria **39 M6**
Pegu Mianmar **50 G4**
Peipus, Lago *lago* Estônia **33 Q9**
Pekanbaru Indonésia **50 H9**
Peloponeso *península* Grécia **39 N11**
Pensilvânia *estado* EUA **23 Q5**
Penza Rússia **40 F8**
Pequenas Antilhas *arquipélago* Caribe **25 R9**
Pequim *capital de país* China **49 N6**
Perm Rússia **40 G8**
Perpignan França **35 P9**
Pérsico, Golfo *elemento marítimo* NO Oceano Índico **43 P6**
Perth *capital de estado* Austrália Ocidental **52 G9**
Peru *país* O América do Sul **27 M5**
Peshawar Paquistão **47 L2**
Peter I Island *território norueguês* Oceano Antártico **59 N9**
Petra *sítio arqueológico* Jordânia **43 L6**
Petropavlovsk Casaquistão **45 O2**
Petropavlovsk-Kamchatskiy Rússia **41 R8**
Petrozavodsk Rússia **40 F6**
Phnom Penh *capital de país* Camboja **50 I6**
Phoenix *capital de estado* Arizona, EUA **22 I8**
Phoenix, Ilhas *arquipélago* Kiribati **55 M7**
Phuket *ilha* Tailândia **50 G6**
Pierre *capital de estado* Dakota do Sul, EUA **23 L5**
Pilsen República Tcheca **37 N4**
Piñal del Rio Cuba **25 L6**
Pindos, Montes *cadeia de montanhas* Grécia **39 N10**
Pireu Grécia **39 O10**
Pirineus *cadeia de montanhas* SO Europa **35 P9**
Pitcairn, Ilhas *arquipélago* S Oceano Pacífico **11 N9**
Pitcairn, Ilhas *território do Reino Unido* C Oceano Pacífico **55 R9**
Pittsburgh Pensilvânia, EUA **23 Q6**
Piura Peru **27 M4**
Planalto Central Siberiano *planalto* Rússia **41 K7**
Plenty, Baía de *elemento marítimo* Nova Zelândia **57 M4**
Ploiesti Romênia **39 P7**
Plovdiv Bulgária **39 O8**
Plymouth Inglaterra, Reino Unido **35 N5**
Pó *rio* Itália **37 M7**
Pó, Vale do *vale* Itália **37 M7**
Pobedy, Pico *montanha* China/Turcomenistão **45 R7**
Podgorica *capital de país* Montenegro **39 M8**
Pohnpei *ilha* Micronésia **54 J5**
Pokhara Nepal **47 P4**
Polinésia *arquipélago* C Oceano Pacífico **55 N7**
Polinésia Francesa *território francês* C Oceano Pacífico **55 Q8**

Polo Norte *polo* Oceano Ártico **58 D4**
Polo Sul *polo* Antártida **59 Q9**
Polônia *país* C Europa **37 P3**
Poltava Ucrânia **39 R4**
Pontianak Indonésia **50 J9**
Port Hedland Austrália Ocidental **52 G5**
Port Louis *capital de país* Maurício **31 P9**
Port Macquarie Nova Gales do Sul, Austrália **53 Q8**
Port Moresby *capital de país* Papua Nova Guiné **54 I7**
Portland Oregon, EUA **22 H4**
Porto Portugal **35 L9**
Porto Alegre Brasil **27 Q8**
Porto Elizabeth África do Sul **31 K11**
Porto Novo *capital de país* Benin **28 I10**
Porto Príncipe *capital de país* Haiti **25 O7**
Porto Rico *território dos EUA* Caribe **25 Q7**
Porto Sudão Sudão **29 O7**
Porto Velho Brasil **27 O5**
Porto-Vila *capital de país* Vanuatu **55 K8**
Portugal *país* SO Europa **35 M10**
Potosí Bolívia **27 O7**
Poznan Polônia **37 P3**
Praga *capital de país* República Tcheca **37 O4**
Praia *capital de país* Cabo Verde **28 E8**
Prata, Rio da *elemento marítimo* SO Oceano Atlântico **27 P9**
Prespa, Lago *lago* SE Europa **39 N9**
Pretória ver Tshwane
Prince George Colúmbia Britânica, Canadá **20 G8**
Príncipe Edward, Ilhas *arquipélago* África do Sul **10 D10**
Pripet *rio* Bielorrússia/Ucrânia **39 P3**
Pripet, Pântanos de *pântano* Bielorrússia/Ucrânia **39 O3**
Pristina *capital de país* Kosovo **39 N8**
Prome Mianmar **50 G4**
Providence *capital de estado* Rhode Island, EUA **23 S5**
Prudhoe, Baía Alasca, EUA **22 G9**
Prut *rio* SE Europa **39 P6**
Puebla México **24 H7**
Puerto Ayacucho Venezuela **27 O2**
Puerto Montt Chile **27 N10**
Puncak Jaya *montanha* Indonésia **51 R10**
Pune Índia **47 M7**
Punta Arenas Chile **27 O2**
Purus *rio* Brasil/Peru **27 O4**
Pusan Coreia do Sul **49 Q7**
Putumayo *rio* N América do Sul **27 N4**
Pyongyang *capital de país* Coreia do Norte **49 P6**

• • Q • •

Qaanaaq Groenlândia **58 B5**
Qaidam, Bacia *bacia hidrográfica* China **48 I6**
Qaqortoq Groenlândia **58 A7**
Qarshi Uzbequistão **45 N8**
Qilian Shan *cadeia de montanhas* China **48 I6**
Qingdao China **49 O7**
Qiqihar China **49 O4**
Qom Irã **43 P4**
Quebec *capital de província* Quebec, Canadá **21 O10**
Queen Charlotte, Ilhas *arquipélago* Canadá **20 F7**
Queen Elizabeth, Ilhas *arquipélago* Canadá **20 J3**
Queen Maud, Montanhas de *cadeia de montanhas* Antártida **59 Q7**
Queensland *estado* Austrália **53 N5**
Queenstown Nova Zelândia **56 H10**
Quênia *país* L África **31 M4**
Queretaro México **24 G7**
Quetta Paquistão **47 K3**
Quirguistão *país* C Ásia **45 P7**
Quirguistão, Cordilheira do *cadeia de montanhas* Casaquistão/Turcomenistão **45 P7**
Quito *capital de país* Equador **27 M4**

• • R • •

Raleigh *capital de estado* Carolina do Norte, EUA **23 R7**
Ralik, Ilhas *arquipélago* Ilhas Marshall **55 K5**
Ranchi Índia **47 Q6**
Rangitikei *rio* Nova Zelândia **57 M6**
Rann de Kutch *pântano salgado* Índia/Paquistão **47 L5**

Rarotonga *ilha* Ilhas Cook **55 O9**
Rasht Irã **43 P3**
Ratak, Ilhas *arquipélago* Ilhas Marshall **55 L4**
Rawalpindi Paquistão **47 M2**
Recife Ronne Ice *bloco de gelo flutuante* Antártida **59 O8**
Recife Ross Ice *bloco de gelo flutuante* Antártida **59 P10**
Red Deer Alberta, Canadá **20 H8**
Regina *capital de província* Saskatchewan, Canadá **20 J9**
Reims França **35 Q6**
Reindeer, Lago *lago* Canadá **20 J7**
Reino Unido *país* NO Europa **35 N3**
Rennes França **35 O6**
Reno *rio* O Europa **10 C4**
República Centro-Africana *país* C África **29 L10**
República Dominicana *país* Caribe **25 P7**
República Tcheca *país* C Europa **37 O4**
Reservatório de Smallwood *lago* Canadá **21 O7**
Réunion *ilha* O Oceano Índico **10 E9**
Réunion *território francês* SO Oceano Índico **31 O9**
Revillagigedo, Ilhas *arquipélago* México **24 D7**
Reykjavik *capital de país* Islândia **33 L2**
Rhode Island *estado* EUA **23 S5**
Riad *capital de país* Arábia Saudita **43 O8**
Richmond *capital de estado* Virgínia, EUA **23 R6**
Riga *capital de país* Letônia **33 Q10**
Riga, Golfo de *elemento marítimo* NE Oceano Atlântico **33 Q9**
Rijeka Croácia **39 K6**
Rio Branco Brasil **27 O5**
Rio de Janeiro Brasil **27 R7**
Rochosas, Montanhas *cadeia de montanhas* Canadá/EUA **11 O4**
Rockhampton Queensland, Austrália **53 Q6**
Ródano *rio* França/Suíça **35 Q8**
Rodes *ilha* Grécia **39 Q11**
Ródope, Cordilheira de *cadeia de montanhas* Bulgária **39 N8**
Roma *capital de país* Itália **37 N9**
Romênia *país* SE Europa **39 O6**
Rosário Argentina **27 P9**
Ross, Mar de *mar* Oceano Antártico **59 P11**
Rostov-na-Donu Rússia **40 D8**
Roterdã Holanda **35 Q4**
Rotorua Nova Zelândia **57 M4**
Rotorua, Lago *lago* Nova Zelândia **57 M4**
Ruanda *país* C África **31 L5**
Ruapehu, Monte *montanha* Nova Zelândia **57 L5**
Ruse Bulgária **39 P7**
Rússia *país* Ásia/Europa **40 I8**
Ryazan Rússia **40 E7**
Ryukyu, Ilhas *arquipélago* Japão **49 Q10**

• • S • •

Saara Ocidental NO África **28 F6**
Saara, Deserto do *deserto* N África **28 H7**
Saaremaa *ilha* Estônia **33 P9**
Sacramento *capital de estado* Califórnia, EUA **22 G6**
Safed Koh, Cordilheira de *cadeia de montanhas* Afeganistão **45 L10**
Sahel *região física* O África **28 H8**
Saimaa *lago* Finlândia **33 R7**
Saint-Étienne França **35 Q7**
Sakhalin *ilha* Rússia **41 Q9**
Salalah Omã **43 Q10**
Salem *capital de estado* Oregon, EUA **22 G4**
Salomão, Ilhas *arquipélago* SO Oceano Pacífico **11 K8**
Salônica Grécia **39 N9**
Salt Lake City *capital de estado* Utah, EUA **22 J6**
Salta Argentina **27 O7**
Saltillo México **24 G5**
Salto Ángel *queda-d'água* Venezuela **27 P3**
Salto St. Marie Ontário, Canadá **21 M10**
Salvador Brasil **27 S6**
Salween *rio* SE Ásia **10 H6**
Salzburgo Áustria **37 N5**
Samar *ilha* Filipinas **51 N6**
Samara Rússia **40 F8**
Samarcanda Uzbequistão **45 N8**
Samarinda Indonésia **51 L9**
Samoa *arquipélago* C Oceano Pacífico **11 L8**

S A M O A — I C A Y A L I

Samoa *país* C Oceano Pacífico **55 M7**
Samoa Americana *território dos EUA* C Oceano Pacífico **55 N7**
Samsun Turquia **43 L2**
San Antonio Texas, EUA **23 M9**
San Diego Califórnia, EUA **22 H8**
San Francisco Califórnia, EUA **22 G6**
San Jose Califórnia, EUA **22 G6**
San José *capital de país* Costa Rica **25 L10**
San Juan *capital de país* Porto Rico **25 Q7**
San Luis Potosí México **24 G6**
San Marino *país* S Europa **37 N8**
San Miguel de Tucuman Argentina **27 O8**
San Salvador *capital de país* El Salvador **24 J9**
San Salvador de Jujuy Argentina **27 O7**
Sana *capital de país* Iêmen **43 N11**
Sandakan Malásia **51 L7**
Sandwinch do Sul *arquipélago* S Oceano Atlântico **11 S11**
Santa Cruz Bolívia **27 O6**
Santa Cruz, Ilhas *arquipélago* Ilhas Salomão **55 K7**
Santa Fé *capital de estado* Novo México, EUA **23 K7**
Santa Fé Argentina **27 P8**
Santa Helena *ilha* C Oceano Atlântico **10 B8**
Santa Helena *território do Reino Unido* C Oceano Pacífico **12 B8**
Santa Lúcia *país* Caribe **25 S8**
Santander Espanha **35 N8**
Santarém Brasil **27 Q4**
Santiago *capital de país* Chile **27 N9**
Santiago de Cuba Cuba **25 N7**
Santiago del Estero Argentina **27 O8**
Santo Domingo *capital de país* República Dominicana **25 P7**
Santos Brasil **27 R7**
São Cristóvão e Névis *país* Caribe **25 R7**
São Francisco *rio* Brasil **27 R6**
São Jorge, Golfo de *elemento marítimo* SO Oceano Atlântico **27 O11**
São Lourenço *rio* Canadá **21 O10**
São Lourenço, Golfo de *elemento marítimo* NO Oceano Atlântico **21 Q9**
São Luís Brasil **27 R4**
São Paulo Brasil **27 R7**
São Petersburgo Rússia **40 F5**
São Tomé *capital de país* São Tomé e Príncipe **30 H5**
São Tomé e Príncipe *país* L Oceano Atlântico **30 G5**
São Vicente e Granadinas *país* Caribe **25 S9**
Sapporo Japão **49 S4**
Sarajevo *capital de país* Bósnia e Herzegovina **39 M7**
Saratov Rússia **40 F8**
Sardenha *ilha* Itália **37 L10**
Saskatchewan *província* Canadá **20 I8**
Saskatchewan *rio* Canadá **20 J8**
Saskatoon Saskatchewan, Canadá **20 I9**
Sava *rio* SE Europa **39 M7**
Seattle Washington, EUA **22 H3**
Semarang Indonésia **50 J11**
Semipalatinsk Casaquistão **45 Q3**
Sena *rio* França **35 P6**
Sendai Japão **49 S5**
Senegal *país* O África **28 F8**
Senegal *rio* O África **28 F8**
Serra Leoa *país* O África **28 E10**
Sérvia *país* SE Europa **39 N7**
Setúbal Portugal **35 L11**
Seul *capital de país* Coreia do Sul **49 P6**
Severnaya Zemlia *arquipélago* Rússia **41 L4**
Sevilha Espanha **35 M11**
Seychelles *arquipélago* O Oceano Índico **10 O8**
Seychelles *país* O Oceano Índico **31 O6**
Sfax Tunísia **28 J5**
Shan, Planalto de *planalto* Mianmar **50 G3**
Sheffield Inglaterra, Reino Unido **35 O4**
Shenyang China **49 O5**
Sherbrooke Quebec, Canadá **21 O10**
Shetland, Ilhas *arquipélago* Escócia, Reino Unido **35 O1**
Shihoku *ilha* Japão **49 R7**
Shijiazhuang China **49 N6**
Shikarpuar Paquistão **47 K4**
Shiraz Irã **43 Q6**
Shkoder Albânia **39 M8**
Shymkent Casaquistão **45 O7**
Sibéria *região física* Rússia **40 J8**
Sibéria Oriental, Mar da *mar* Oceano Ártico **58 D2**
Sichuan, Bacia de *bacia hidrográfica* China **49 K8**
Sicília *ilha* Itália **37 N11**
Sidney *capital de estado* Nova Gales do Sul, Austrália **53 P9**
Simferopol' Ucrânia **39 R7**
Simpson, Deserto de *deserto* Austrália **53 M6**
Síria *país* SO Ásia **43 L4**
Síria, Deserto da *deserto* SO Ásia **43 M5**
Sisimiut Groenlândia **58 B6**
Sittwe Mianmar **50 F3**
Skagerrak *elemento marítimo* NE Oceano Atlântico **33 L9**
Skien Noruega **33 L8**
Skopje *capital de país* Macedônia **39 N8**
Slave, Lago *lago* Canadá **20 I6**
Sliven Bulgária **39 P8**
Society, Ilhas *arquipélago* Polinésia Francesa **55 P8**
Socotra *ilha* Iêmen **43 Q10**
Sófia *capital de país* Bulgária **39 O8**
Sognefjorden *elemento marítimo* Noruega **33 L7**
Solapur Índia **47 N8**
Somália *país* L África **29 P11**
Sonora, Deserto de *deserto* México/EUA **24 D3**
Southampton Inglaterra, Reino Unido **35 O5**
Southampton, Ilha de *ilha* Canadá **21 L5**
Soweto África do Sul **31 K10**
Spitsbergen *ilha* Svalbard **10 C2**
Split Croácia **39 L7**
Spratly, Ilhas SE Ásia **12 H7**
Springfield *capital de estado* Illinois, EUA **23 O6**
Sri Lanka *ilha* S Ásia **10 G7**
Sri Lanka *país* S Ásia **47 O11**
Srinagar Índia **47 M2**
St. Catharines Ontário, Canadá **21 N11**
St. John New Brunswick, Canadá **21 P10**
St. John's *capital de província* Newfoundland e Labrador, Canadá **21 R8**
St. Louis Missouri, EUA **23 O6**
St. Paul *capital de estado* Minnesota, EUA **23 N4**
St. Pierre e Miquelon *território francês* L América do Norte **21 Q9**
Stanley *capital de país* Ilhas Falkland **27 P12**
Stanovoy, Cordilheira de *cadeia de montanhas* Rússia **41 N9**
Stavanger Noruega **33 K8**
Stavropol Rússia **40 D9**
Stewart, Ilha *ilha* Nova Zelândia **56 H12**
Strokkur, Gêiser *fonte termal* Islândia **33 L2**
Stuttgart Alemanha **37 M5**
Suazilândia *país* S África **31 L10**
Sucre *capital de país* Bolívia **27 O6**
Sudão *país* NE África **29 M9**
Sudbury Ontário, Canadá **21 N10**
Sudd *área alagada* Sudão **29 M10**
Suécia *país* N Europa **33 N7**
Suez, Canal de *canal* Egito **29 N5**
Suhar Omã **43 R8**
Suíça *país* C Europa **37 L6**
Sukkur Paquistão **47 K4**
Sul, Ilha do *ilha* Nova Zelândia **56 J8**
Sulawesi *ilha* Indonésia **51 M9**
Sulu, Arquipélago de *arquipélago* Filipinas **51 M8**
Sulu, Mar de *mar* O Oceano Pacífico **51 M6**
Sulzberger, Baía de *elemento marítimo* Oceano Antártico **59 O11**
Sumatra *ilha* Indonésia **50 H9**
Sumba *ilha* Indonésia **51 M12**
Sumbawa *ilha* Indonésia **51 L11**
Sunda Maior *arquipélago* SE Ásia **50 I10**
Sunda Menor *arquipélago* Timor Leste/Indonésia **51 L11**
Sunshine Coast Queensland, Austrália **53 Q7**
Superior, Lago *lago* Canadá/EUA **23 O4**
Surabaya Indonésia **51 K11**
Surat Índia **47 M6**
Suriname *país* N América do Sul **27 Q3**
Sutlej *rio* Paquistão **47 M3**
Suva *capital de país* Fiji **55 M8**
Svalbard *território norueguês* Oceano Ártico **58 E6**
Syktyvkar Rússia **40 G7**
Syr Darya *rio* Casaquistão **45 N6**
Szczecin Polônia **37 O2**
Szeged Hungria **39 M6**

• • T • •

Tabriz Irã **43 O3**
Tabuk Arábia Saudita **43 L6**
Tacna Peru **27 N6**
Taegu Coreia do Sul **49 Q7**
Taichung Taiwan **49 O10**
Taif Arábia Saudita **43 M9**
Tailândia *país* SE Ásia **50 H4**
Tailândia, Golfo da *elemento marítimo* O Oceano Pacífico **50 H6**
Tainan Taiwan **49 O11**
Taipei *capital de país* Taiwan **49 P10**
Taiti *ilha* Polinésia Francesa **55 P8**
Taiwan *país* L Ásia **10 I6**
Taiyuan China **49 M6**
Ta'izz Iêmen **43 N11**
Tajiquistão *país* C Ásia **45 O8**
Taklamaklan, Deserto de *deserto* China **48 F6**
Taldykorgan Casaquistão **45 Q6**
Tallahassee *capital de estado* Flórida, EUA **23 Q9**
Tallinn *capital de país* Estônia **33 Q8**
Tâmisa *rio* Inglaterra, Reino Unido **35 O5**
Tampa Flórida, EUA **23 Q10**
Tampere Finlândia **33 P7**
Tampico México **24 H6**
Tanami, Deserto de *deserto* Austrália **53 K4**
Tanganica, Lago *lago* C África **31 L6**
Tânger Marrocos **28 H4**
Tangerang Indonésia **50 I11**
Tangshan China **49 N6**
Tanzânia *país* L África **31 L6**
Tapajós *rio* Brasil **27 P4**
Taquatinga Brasil **27 R5**
Tar, Deserto de *deserto* Índia/Paquistão **47 L4**
Taranaki, Monte *montanha* Nova Zelândia **57 L5**
Tarawa *ilha* Kiribati **55 K6**
Taraz Casaquistão **45 O7**
Tarim, Bacia do *bacia hidrográfica* China **48 G5**
Tartu Estônia **33 R9**
Tashkent *capital de país* Uzbequistão **45 O7**
Tasiilaq Groenlândia **58 B7**
Tasmânia *estado* Austrália **53 N12**
Tasmânia *ilha* Austrália **10 J10**
Tasmânia, Mar da *mar* SO Oceano Pacífico **11 K10**
Taunggyi Mianmar **50 G3**
Taupo Nova Zelândia **57 M5**
Taupo, Lago *lago* Nova Zelândia **57 L5**
Tauranga Nova Zelândia **57 M4**
Tauro, Montes *cadeia de montanhas* Turquia **43 K3**
Tavoy Mianmar **50 G5**
Taymir, Península *península* Rússia **41 K5**
T'bilisi *capital de país* Georgia **43 N2**
Te Anau Nova Zelândia **56 H10**
Te Anau, Lago *lago* Nova Zelândia **56 H10**
Teerã *capital de país* Irã **43 P4**
Tegucigalpa *capital de país* Honduras **25 K9**
Tehuantepec, Golfo de *elemento marítimo* L Oceano Pacífico **24 I8**
Tehuantepec, Istmo de *istmo* México **24 I8**
Tejo *rio* Portugal/Espanha **35 L10**
Temuco Chile **27 N10**
Tennessee *estado* EUA **23 O7**
Tepic México **24 F6**
Teresina Brasil **27 S4**
Termiz Uzbequistão **45 N9**
Terra do Fogo *ilha* Argentina/Chile **27 O12**
Terre Adélie *região física* Antártida **59 R11**
Território da Capital da Austrália *território* Austrália **53 P10**
Território do Norte *território* Austrália **53 K4**
Território Noroeste *território* Canadá **20 H5**
Territórios Franceses do Sul e da Antártida *território francês* S Oceano Índico **12 F10**
Texas *estado* EUA **23 L9**
Thunder, Baía de Ontário, Canadá **21 L10**
Thurston, Ilha *ilha* Antártida **59 N9**
Tianjin China **49 N6**
Tibesti *cadeia de montanhas* N África **29 K7**
Tibetano, Platô *planalto* C Ásia **48 H7**
Tibre *rio* Itália **37 N8**
Tien Shan *cadeia de montanhas* C Ásia **10 G5**
Tigre *rio* SO Ásia **43 N4**
Tijuana México **24 C2**
Timaru Nova Zelândia **56 J10**
Timisoara Romênia **39 N6**
Timor *ilha* Timor Leste/Indonésia **51 N12**
Timor Leste *país* SE Ásia **51 O11**
Timor, Mar do *mar* O Oceano Pacífico **51 O11**
Timphu *capital de país* Butão **47 R4**
Tirana *capital de país* Albânia **39 M9**
Tiraspol' Moldávia **39 Q6**
Tirreno, Mar *mar* Mar Mediterrâneo **37 M10**
Tisza *rio* SE Europa **39 N5**
Titicaca, Lago *lago* Bolívia/Peru **27 N6**
Toba, Lago *lago* Indonésia **50 G8**
Tobago *ilha* Trinidad e Tobago **25 S9**
Tobol *rio* Casaquistão/Rússia **45 M3**
Tocantins *rio* Brasil **27 R5**
Togo *país* O África **28 I10**
Tokelau *território neozelandês* C Oceano Pacífico **55 N7**
Toledo Espanha **35 N10**
Toledo Ohio, EUA **23 P5**
Toluca México **24 G7**
Tomsk Rússia **40 J9**
Tonga *arquipélago* SO Oceano Pacífico **11 L9**
Tonga *país* S Oceano Pacífico **55 M8**
Tongatapu *ilha* Tonga **55 N9**
Tonkin, Golfo de *elemento marítimo* O Oceano Pacífico **49 L11**
Tonle Sap *lago* Camboja **50 I5**
Toowoomba Queensland, Austrália **53 Q7**
Topeka *capital de estado* Kansas, EUA **23 M6**
Tóquio *capital de país* Japão **49 S6**
Toronto *capital de província* Ontário, Canadá **21 N11**
Torrens, Lago *lago* Austrália **53 M8**
Torshavn Ilhas Faroé **33 L4**
Toulouse França **35 P8**
Townsville Queensland, Austrália **53 P4**
Trabzan Turquia **43 M2**
Transantárticas, Montanhas *cadeia de montanhas* Antártida **59 P9**
Transiberiana, Ferrovia *ferrovia* Rússia **40 H8**
Transilvânia Romênia **39 O6**
Transilvânia, Alpes da *cadeia de montanhas* Romênia **39 O7**
Travers, Monte *montanha* Nova Zelândia **57 K8**
Trenton *capital de estado* Nova Jersey, EUA **23 R5**
Três Gargantas, Represa de *represa* China **49 L8**
Trieste Itália **37 O6**
Trincomalee Sri Lanka **47 O11**
Trinidad e Tobago *país* Caribe **25 S9**
Trípoli *capital de país* Líbia **29 K5**
Trois-Rivères Quebec, Canadá **21 O10**
Tromso Noruega **33 O2**
Trondheim Noruega **33 M6**
Trujillo Peru **27 M5**
Tshwane *capital de país* África do Sul **31 K9**
Tuamoto, Ilhas *arquipélago* Polinésia Francesa **55 Q8**
Tucson Arizona, EUA **22 I8**
Tula Rússia **40 E7**
Tulsa Oklahoma, EUA **23 M7**
Tungaru *arquipélago* Kiribati **55 L6**
Túnis *capital de país* Tunísia **28 J4**
Tunísia *país* N África **28 J5**
Turan, Planície de *planície* C Ásia **45 L7**
Turcas e Caicos, Ilhas *território do Reino Unido* Caribe **25 O6**
Turcomenistão *país* C Ásia **45 K8**
Turim Itália **37 L7**
Turkana, Lago *lago* Quênia **31 M4**
Turkmenbasy Turcomenistão **44 J8**
Turku Finlândia **33 P8**
Turnmenabat Turcomenistão **45 M8**
Turquia *país* Ásia/Europa **43 K2**
Turquistão, Montanhas do *cadeia de montanhas* Afganistão **45 M10**
Tuvalu *país* C Oceano Pacífico **55 L7**
Tuxtla Gutiérrez México **24 I8**
Tuz, Lago *lago* Turquia **43 K3**
Tuzla Bósnia e Herzegovina **39 M7**
Tver Rússia **40 E6**
Tyumen Rússia **40 H8**

• • U • •

Ubangi *rio* C África **30 J4**
Uberlândia Brasil **27 R6**
Ucayali *rio* Peru **27 N5**

UCRÂNIA — ZURIQUE

Ucrânia *país* L Europa **39 P4**
Udon Thani Tailândia **50 H4**
Ufa Rússia **40 G8**
Uganda *país* L África **31 L4**
Ulan Bator *capital de país* Mongólia **49 L4**
Ulan-Ude Rússia **41 L10**
Uluru *rocha* Austrália **53 K6**
Ul'yanovvsk Rússia **41 L10**
Umea Suécia **33 P6**
Ungava, Baía de *elemento marítimo* Canadá **21 O6**
Ungava, Península de *península* Canadá **21 N6**
Uppsala Suécia **33 O8**
Urais, Montes *cadeia de montanhas* Casaquistão/Rússia **10 F4**
Ural *rio* Casaquistão/Rússia **44 J4**
Ural'sk Casaquistão **44 J3**
Urganch Uzbequistão **45 L7**
Urmia, Lago *lago* Irã **43 O3**
Uruguai *país* L América do Sul **27 P9**
Uruguai *rio* L América do Sul **27 P8**
Urumuqi China **48 H4**
Ust-Kamenogorsk Casaquistão **45 R3**
Ustyurt, Planalto de *planalto* Casaquistão/Uzbequistão **45 K6**
Utah *estado* EUA **22 I6**
Utrecht Holanda **35 Q4**
Uzbequistão *país* C Ásia **45 M8**

• • V • •

Vaasa Finlândia **33 P6**
Vadodara Índia **47 M6**
Valdés, Península *península* Argentina **27 P10**
Valência Espanha **35 O10**
Valência Venezuela **27 O2**
Valeta *capital de país* Malta **37 O2**
Valladolid Espanha **35 N9**
Valparaíso Chile **27 N9**
Van Turquia **43 N3**
Van, Lago *lago* Turquia **43 N3**
Vancouver Colúmbia Britânica, Canadá **20 G9**
Vancouver, Ilha *ilha* Canadá **20 G9**
Vanern *lago* Suécia **33 M9**
Vantaa Finlândia **33 Q8**
Vanua Levu *ilha* Fiji **55 L8**
Vanuatu *arquipélago* SO Oceano Pacífico **11 K8**
Vanuatu *país* SO Oceano Pacífico **55 K8**
Varanasi Índia **47 P5**
Varna Bulgária **39 P8**
Varsóvia *capital de país* Polônia **37 Q3**
Vasteras Suécia **33 N8**
Vaticano *país* S Europa **37 M9**
Vatnajokull *glaciar* Islândia **33 M2**
Vattern *lago* Suécia **33 M9**
Velikiy Novogorod Rússia **40 E6**
Veneza Itália **37 N7**
Venezuela *país* N América do Sul **27 O2**
Veracruz México **24 H7**
Verkoiansk, Cordilheira de *cadeia de montanhas* Rússia **41 N6**
Vermelho *rio* EUA **23 M8**
Vermelho, Mar *mar* NO Oceano Índico **10 D6**
Vermont *estado* EUA **23 S4**
Vesúvio *vulcão* Itália **37 O9**
Viana do Castelo Portugal **35 L9**
Victoria *estado* Austrália **53 N10**
Victória *capital de província* Colúmbia Britânica, Canadá **20 F9**
Victoria Land *região física* Antártida **59 Q11**
Victória, Ilha *ilha* Canadá **20 J4**
Viena *capital de país* Lituânia **37 O5**
Vietnã *país* SE Ásia **50 J4**
Vigo Espanha **35 L9**
Vijayawada Índia **47 O8**
Villahermosa México **24 I8**
Vilnius *capital de país* Lituânia **33 Q11**
Viña del Mar Chile **27 N9**
Víndias, Montes *cadeia de montanhas* Índia **47 M6**
Vinh Vietnã **50 I4**
Vinson, Monte *montanha* Antártida **59 O9**
Virgens, Ilhas *território dos EUA* Caribe **25 Q6**
Virgens Britânicas, Ilhas *território do Reino Unido* Caribe **25 R6**
Virgínia *estado* EUA **23 R6**
Virginia Beach Virgínia, EUA **23 R6**
Virgínia Ocidental *estado* EUA **23 Q6**
Visakhapatnam Índia **47 P8**
Vístula *rio* Polônia **37 Q2**
Viti Levu *ilha* Fiji **55 L8**

Vitória Brasil **27 S7**
Vitória, Cataratas *queda-d'água* Zâmbia/Zimbábue **31 K8**
Vitória, Lago *lago* L África **31 L5**
Vitoria-Gasteiz Espanha **35 O9**
Vitsyebsk Bielorrússia **39 Q1**
Vladivostok Rússia **41 P11**
Volga *rio* Rússia **40 F8**
Volgogrado Rússia **40 E8**
Vorkuta Rússia **40 I6**
Voronezh Rússia **40 E7**

• • W • •

Wagga Wagga Nova Gales do Sul, Austrália **53 O10**
Waimakariri *rio* Nova Zelândia **57 K8**
Wairau *rio* Nova Zelândia **57 K7**
Waitaki *rio* Nova Zelândia **56 I10**
Wakatipu, Lago *lago* Nova Zelândia **56 H10**
Wake, Ilha *território dos EUA* C Oceano Pacífico **55 K3**
Wallis *ilha* Wallis e Futuna **55 M7**
Wallis e Futuna *território francês* C Oceano Pacífico **55 M7**
Wanaka Nova Zelândia **56 I10**
Wandel, Mar de *mar* Oceano Ártico **58 D5**
Wanganui Nova Zelândia **57 L6**
Washington *estado* EUA **22 H3**
Washington DC *capital de país* EUA **23 R6**
Weddell, Mar de *mar* Oceano Antártico **59 O7**
Wellington *capital de país* Nova Zelândia **57 L7**
Westport Nova Zelândia **56 J7**
Whakatane Nova Zelândia **57 M4**
Whangarei Nova Zelândia **57 L2**
Whitehorse *capital de território* Território de Yukon, Canadá **20 F5**
Wilhelm II Land *região física* Antártida **59 S9**
Wilhelm, Monte *montanha* Papua Nova Guiné **54 I7**
Windhoek *capital de país* Namíbia **30 J9**
Windsor Ontário, Canadá **21 N1**
Windward, Ilhas *arquipélago* Caribe **25 R9**
Winnipeg *capital de província* Manitoba, Canadá **21 K9**
Winnipeg, Lago *lago* Canadá **21 K9**
Wisconsin *estado* EUA **23 O5**
Wollongong Nova Gales do Sul, Austrália **53 P10**
Wonsan Coreia do Norte **49 P6**
Wrangel, Ilha de *ilha* Rússia **41 Q4**
Wuhan China **49 N9**
Wyoming *estado* EUA **23 K5**

• • X • •

Xangai China **49 O8**
Xi Jiang *rio* China **49 L10**
Xianyang China **49 L7**
Xina China **49 L8**
Xingu *rio* Brasil **27 Q4**
Xining China **49 K7**
Xuzhou China **49 K7**

• • Y • •

Yablonovyy, Montanhas *cadeia de montanhas* Rússia **41 M10**
Yakutsk Rússia **41 O8**
Yamoussoukro *capital de país* Costa do Marfim **28 G10**
Yangon Mianmar **50 G4**
Yang-Tsé *rio* China **49 K9**
Yaoundê *capital de país* Camarões **28 J11**
Yap *ilha* Micronésia **54 H5**
Yaqui *rio* México **24 E4**
Yaroslavl Rússia **40 F7**
Yazd Irã **43 Q5**
Yellowknife *capital de território* Território do Norte, Canadá **20 I6**
Yinchuan China **49 L6**
Yogyakarta Indonésia **50 J11**
Yokohama Japão **49 S6**
Yomuna *rio* Índia **47 N4**
York, Cabo *cabo* Austrália **53 O2**
Yukon *rio* Canadá/EUA **11 M3**
Yukon, Território de Canadá **20 G5**

• • Z • •

Zacatecas México **24 G6**
Zadar Croácia **39 L7**
Zagreb *capital de país* Croácia **39 L6**
Zagros, Montes *cadeia de montanhas* Irã **43 P5**

Zahedan Irã **43 S6**
Zambezi *rio* S África **31 L8**
Zâmbia *país* S África **31 K7**
Zamboanga Filipinas **51 N7**
Zanzibar Tanzânia **31 M6**
Zaporizhzhya Ucrânia **39 S5**
Zaragoza Espanha **35 O9**
Zaysan, Lago *lago* Casaquistão **45 R4**
Zeravshan, Montes Tajiquistão/Uzbequistão **45 N8**
Zhengzhou China **49 M7**
Zhezkazgan Casaquistão **45 N5**
Zhytomyr Ucrânia **39 P4**
Zimbábue *país* S África **31 K8**
Zurique Suíça **37 L5**

Índice geral

O *Índice geral* lista todos principais tópicos abordados neste livro, além de indicar as páginas onde estão localizados.

• • A • •

Acrópolis, Atenas, Grécia   38
Afeganistão   44
    bandeira, capital e população   19, 45
Afghan hound   45
África
    condições de vida   16
    distância da Espanha   34
    Meridional   18, 30-1
    ponto mais alto   31
    Setentrional   18, 28-9
África do Sul
    bandeira, capital e população   18, 30
agricultura   20, 22, 23, 36, 39, 42, 46, 54, 55
água doce   59
    lagos de   21, 40
    tubarão   24
águia-de-cabeça-branca   23
Aids/HIV   17
alagamento   14
Alasca, EUA   22
Albânia
    bandeira, capital e população   19, 39
alce   21, 32
Alemanha   36
    bandeira, capital e população   19, 37
alfabetização   47
algodão   44, 45
alho   54
alimento
    Afeganistão   45
    Alemanha   37
    Ásia   51
    Grécia   38
    Ilhas do Pacífico   54
    Índia   47
    indústria   51
    Itália   36
    Japão   49
    países com produção suficiente   36, 42
    Rússia   41
All Blacks   57
Alpes   36
Alpes do Sul   56
alpinistas
    mortes no Monte Everest   46
altitude, legenda   7
Amazonas, Rio   26
Amazônica, Floresta   26
amendoim   28, 29
América Central   18, 24-5
América do Sul   18, 26-7
    população   17
Andes   27
Andorra   34
    bandeira, capital e população   19, 35
    expectativa de vida   17
aneto   45
Ángel, Salto   26
Angkor Wat, Camboja   50
Angola
    bandeira, capital e população   18, 30
animais mais perigosos (África)   30

anis-estrelado   47
ano-luz   8
Antártida   19, 59
    Tratado da   59
Antígua e Barbuda
    bandeira, capital e população   18, 25
Antilhas
    Grandes   24, 25
    Pequenas   25
Aoraki/Monte Cook   56,-7
Apostólico, Palácio, Vaticano   36
Arábia Saudita
    bandeira, capital e população   19, 43
Aral, Mar de   44
áreas agrícolas   15
Argélia
    bandeira, capital e população   18, 28
Argentina
    bandeira, capital e população   18,27
Armênia
    bandeira, capital e população   19, 43
arquipélagos   51
    legenda   7
arranha-céu   23
arroz   46, 48
    plantações de   50
Ártico, Oceano   6
árvores
    coníferas   15
    latifoliadas (folhas largas)   14
    sempre verdejantes   15
Ásia
    Central   19, 44-5
    Oriental   19, 48-9
    Sudeste da   19, 50-1
    Sudoeste da   19, 42-3
    Sul da   19 ,46-7
Ásia, Sul da
    crescimento populacional   16
astecas   24
asteroides   8
Atacama, Deserto do   27
Atenas, Grécia   38
atmosfera terrestre   9
atum, pesca   54
Auckland, Nova Zelândia   56
aurora austral (luzes do sul)   58
aurora boreal (luzes do norte)   58
Austrália   52-3
    bandeira, capital e população   19
Áustria   36
    bandeira, capital e população   19, 37
automóveis, indústria   20, 22, 33, 34, 36, 48
aves nacionais
    EUA   23
    Guatemala   24
Azerbaijão
    bandeira, capital e população   19, 43

• • B • •

bagas de goji   48
Bahamas
    bandeira, capital e população   18, 25
Baía Prudhoe   22
Baikal, Lago   40
balé, companhias de   40
baleia
    jubarte   59
    observação de   56
    salto da   59
Báltico, Mar   36
Bálticos, Países (Estônia, Letônia e Lituânia)   32
bananas   24, 26, 55

bandeira   7
    Afeganistão   19, 45
    África do Sul   18, 30
    Albânia   19, 39
    Alemanha   19, 37
    Andorra   19, 35
    Angola   18, 30
    Antígua e Barbuda   18, 25
    Arábia Saudita   19, 43
    Argélia   18, 28
    Argentina   18,27
    Armênia   19, 43
    Austrália   19, 53
    Áustria   19, 37
    Azerbaijão   19, 43
    Bahamas   18, 25
    Bangladesh   19, 47
    Barbados   18, 25
    Barein   19, 43
    Bélgica   19, 35
    Belize   18, 25
    Benin   18, 28
    Bielorrúsia   19, 39
    Bolívia   18, 27
    Bósnia e Herzegovina   19, 39
    Botswana   18, 30
    Brasil   18, 27
    Brunei   19, 51
    Bulgária   19, 39
    Burkina Faso   18, 28
    Burundi   18, 31
    Butão   19, 47
    Cabo Verde   18, 28
    Camarões   18, 29
    Camboja   19, 50
    Canadá   18, 21
    Casaquistão   19, 45
    Catar   19, 43
    Chade   18, 29
    Chile   18, 27
    China   19, 48
    Chipre   19, 42
    Cingapura   19, 50
    Colômbia   18, 27
    Comores   18, 31
    Congo   18, 30
    Congo, República Democrática do   18, 31
    Coreia do Norte   19, 49
    Coreia do Sul   19, 49
    Costa do Marfim   18, 28
    Costa Rica   18, 25
    Croácia   19, 39
    Cuba   18, 25
    Dinamarca   18, 33
    Djibuti   18, 29
    Dominica   18, 25
    Egito   18, 29
    El Salvador   18, 24
    Emirados Árabes Unidos   19, 43
    Equador   18, 27
    Eritreia   18, 29
    Eslováquia   19, 37
    Eslovênia   19, 37
    Espanha   19, 35
    Estados Unidos   18, 23
    Estônia   18, 33
    Etiópia   18, 29
    Federação Russa   19, 40
    Fiji   19, 55
    Filipinas   19, 51
    Finlândia   18, 33
    França   19, 35
    Gabão   18, 30
    Gâmbia   18, 28
    Gana   19, 28
    Geórgia   19, 43
    Granada   18, 25
    Grécia   19, 39
    Guatemala   18, 24
    Guiana   18, 27
    Guiné   18, 28
    Guiné Equatorial   18, 30

    Guiné-Bissau   18, 28
    Haiti   18, 25
    Holanda   19, 35
    Honduras   18, 25
    Hungria   19, 39
    Ilhas Marshall   19, 54
    Ilhas Salomão   19, 54
    Índia   19, 47
    Indonésia   19, 51
    Irã   19, 43
    Iraque   19, 43
    Irlanda   19, 35
    Islândia   19, 33
    Israel   19, 43
    Itália   19, 37
    Jamaica   18, 25
    Japão   19, 49
    Jordânia   19, 43
    Kiribati   19, 55
    Kuwait   19, 43
    Laos   19, 50
    Lesoto   18, 31
    Letônia   19, 33
    Líbano   19, 42
    Libéria   18, 28
    Líbia   18, 29
    Liechtenstein   19, 37
    Lituânia   19, 33
    Luxemburgo   19, 35
    Macedônia   19, 39
    Madagascar   18, 31
    Malásia   19, 50
    Malawi   18, 31
    Maldivas   19, 47
    Mali   18, 28
    Malta   19, 37
    Marrocos   18, 28
    Maurício   18, 31
    Mauritânia   18, 28
    México   18, 24
    Mianmar   19, 50
    Micronésia   19, 54
    Moçambique   18, 31
    Moldávia   19, 39
    Mônaco   19, 35
    Mongólia   19, 49
    Montenegro   19, 39
    Namíbia   18, 30
    Nauru   19, 55
    Nepal   19, 47
    Nicarágua   18, 25
    Níger   18, 29
    Nigéria   18, 28
    Noruega   19, 33
    Nova Zelândia   19, 57
    Omã   19, 43
    Palau   19, 54
    Panamá   18, 25
    Papua Nova Guiné   19, 54
    Paquistão   19, 46
    Paraguai   18, 27
    Peru   18, 27
    Polônia   19, 37
    Portugal   19, 35
    Quênia   18, 31
    Quirguistão   19, 45
    Reino Unido   19, 35
    República Dominicana   18, 25
    República Tcheca   19, 37
    Romênia   19, 39
    Ruanda   18, 31
    Saara Ocidental   18, 28
    Samoa   19, 55
    San Marino   19, 37
    Santa Lúcia   18, 25
    São Cristóvão e Névis   18, 25
    São Tomé e Príncipe   18, 30
    São Vicente e Granadinas   18, 25
    Senegal   18, 28
    Serra Leoa   18, 28
    Sérvia   19, 39
    Seychelles   18, 31
    Síria   19, 42

    Somália   18, 29
    Sri Lanka   19, 47
    Suazilândia   18, 31
    Sudão   18, 29
    Suécia   19, 33
    Suíça   19, 37
    Suriname   18, 27
    Tailândia   19, 50
    Taiwan   19, 49
    Tajiquistão   19, 45
    Tanzânia   18, 31
    Timor Leste   19, 51
    Togo   18, 28
    Tonga   19, 55
    Trinidad e Tobago   18, 25
    Tunísia   18, 28
    Turcomenistão   19, 45
    Turquia   19, 43
    Tuvalu   19, 55
    Ucrânia   19, 39
    Uganda   18, 31
    Uruguai   18, 27
    Uzbequistão   19, 45
    Vanuatu   19, 54
    Vaticano   19, 37
    Venezuela   18, 27
    Vietnã   19, 50
    Zâmbia   18, 31
    Zimbábue   18, 31
Bangladesh   46
    bandeira, capital e população   19, 47
    população   17
baobás   31
Barbados
    bandeira, capital e população   18, 25
Barein
    bandeira, capital e população   19, 43
Basílica de São Pedro, Vaticano   36
batata   34, 36
Bélgica
    bandeira, capital e população   19, 35
    chocolate   34
Belize
    bandeira, capital e população   18, 25
Benin
    bandeira, capital e população   18, 28
berinjelas   42
beterraba   41
Bielorrússia   38
    bandeira, capital e população   19, 39
Big Ben, Londres, Reino Unido   34
biomas   14
bisão europeu   39
Bolívia
    bandeira, capital e população   18, 27
    capitais   26
Bollywood   46
Bolshoi, Balé   40
Bombaim, Índia   46
bonecas russas   41
Bora Bora, Polinésia Francesa   55
borboletas-monarca   24
bordo   20-1
    folha de   20
    xarope de   21
borschtl (sopa)   41
Bósnia e Herzegovina   38
    bandeira, capital e população   19, 39
Botswana
    bandeira, capital e população   18, 30
boxímanes   30
Brasil
    bandeira, capital e população   18, 27
    população   17

ÍNDICE GERAL

Brisbane, Austrália   52
Brunei
    bandeira, capital e população
    19, 51
Budismo   51
Buenos Aires, Argentina   27
búfalo   30
Bulgária   38
    bandeira, capital e população
    19, 39
Burj-al-Arab, hotel, Emirados Árabes
    Unidos   42
Burkina Faso
    bandeira, capital e população
    18, 28
Burundi
    bandeira, capital e população
    18, 31
bússola   7
Butão
    bandeira, capital e população
    19, 47

• • C • •

Caaba, Arábia Saudita   42
caatinga   15
Cabo Verde
    bandeira, capital e população
    18, 28
cabra selvagem (íbex)   36
cabras, criação de   36
cacau   26, 28, 55
cadeias montanhosas
    Alpes   36
    Alpes do Sul   56
    Andes   27
    Himalaia   44, 46
    mais extensa   27
    Montes Pamir   44
    Montes Urais   40
cães
    Afghan hound   45
    dálmatas   39
    selvagens   52
café   25, 26, 55
Cairo, Egito   29
Califórnia, EUA   22
Camarões
    bandeira, capital e população
    18, 29
Camboja
    bandeira, capital e população
    19, 50
campos de petróleo   22, 28, 40, 44
campos de tulipa   35
camurça   36
Canadá   20-1
    bandeira, capital e população
    18, 29
cana-de-açúcar   25, 50
Canal do Panamá   25
Câncer, Trópico de
canguru   52
    arborícola (*Dendrolagus dorianus*)
    54
capim-limão   51
capital   18-9
    Bolívia   26
    Egito   29
    legenda   7
    maior altitude   26
Capricórnio, Trópico de   6
características físicas
    legenda   7
    mapa mundial   10-1
cardamomo   45, 47
Caribe
    ilhas do   18, 24, 25
    Mar do   25
Carnaval   26
carne, exportação de   39
cartógrafos   6
carvão
    extração   52
    linhito   36
    reservas   44
Casaquistão   44
    bandeira, capital e população
    19, 45
Cáspio, Mar   44

castor   20
Catar
    bandeira, capital e população
    19, 43
Cataratas do Niágara   26
Cataratas Vitória   30
Catedral de São Basílio, Moscou,
    Federação Russa   40
cebola   54
cerca mais extensa   52
cereais, plantação de   26
Cerro Aconcágua, Argentina   27
cevada   36
chá
    cultivo   46
    exportação   47
Chade
    bandeira, capital e população
    18, 29
Chile
    bandeira, capital e população
    18, 27
China
    bandeira, capital e população
    19, 48
    medicina chinesa   40, 48
    população   16-7
Chipre
    bandeira, capital e população
    19, 42
chocolate   34
chuva   14
ciclones   55
cidade
    fortificada   38
    legenda   7
    maior   27
    mais antiga   44
    população   16, 24, 29, 48-9
Cidade do México   24
Cingapura
    bandeira, capital e população
    19, 50
    densidade demográfica   16
clima   14
CN Tower, Toronto, Canadá   21
coalas   52, 53
cobalto   41
cobertura vegetal   14-5
cobra-real   46
cobras marinhas   53
cobre, extração de   26, 41, 44, 52
coco   54-5
    óleo de   54
coentro   51
Colômbia
    bandeira, capital e população
    18, 27
Colorado, Rio   22
cometas   8
Comores
    bandeira, capital e população
    18, 31
computadores, indústria   22, 51
condor   27
Congo
    Bacia do   30
    bandeira, capital e população
    18, 30
Congo, República Democrática do
    bandeira, capital e população
    18, 31
construções em madeira   32
continente
    mais extenso   28
    mais plano   53
    menor   53
Cook, Monte (Aoraki)   56-7
coordenadas   7
copra   54
corais, recifes de   53
Coreia
    do Norte   19, 49
    do Sul   19, 49
Coreia do Norte
    bandeira, capital e população
    19, 49
Coreia do Sul
    bandeira, capital e população
    19, 49
cores nos mapas   6, 7

cortiça   28, 34
Costa Brava, Espanha   34
Costa do Marfim
    bandeira, capital e população
    18, 28
Costa Rica
    bandeira, capital e população
    18, 25
couro, artefatos de   44
crateras na Lua   9
Cristianismo   42, 43
Croácia   38
    bandeira, capital e população
    19, 39
crosta terrestre   9
Cuba   24
    bandeira, capital e população
    18, 25

• • D • •

dálmatas (cães)   39
damascos   42, 44
Danúbio, Rio   36
delta
    Okavango   31
Dendrolagus dorianus (canguru
    arborícola)   54
deserto   42, 44, 46, 52
    da Namíbia   30
    do Atacama   27
    Kalahari   30
    Kyzyl Kum   45
    maior   28
    mais seco   27
    Saara   14, 16, 28-9
    temperatura   15, 29
diamante, extração de   28, 30, 41
Dinamarca
    bandeira, capital e população
    18, 33
    praia mais extensa   32
dingos   52
distância entre lugares   6
Djibuti
    bandeira, capital e população
    18, 29
Dominica
    bandeira, capital e população
    18, 25
dragão-de-komodo   51
dromedários   43
Dubai, Emirados Árabes Unidos   42
Dubrovnik, Croácia   38
dunas de areia   29

• • E • •

ecossistemas   14
Egito
    bandeira, capital e população
    18, 29
    turismo   28
Eiffel, Torre   35
El Salvador
    bandeira, capital e população
    18, 24
elefantes africanos   30
eletrônicos, indústria de   48, 51
Emirados Árabes Unidos
    bandeira, capital e população
    19, 43
Equador
    bandeira, capital e população
    18, 27
    exportação de banana   26
Equador, Linha do   6
    clima   14
    florestas tropicais   14
equidna   52
Eritreia
    bandeira, capital e população
    18, 29
ervas medicinais   48
escalas (mapas)   7
Escandinávia (Noruega, Suécia e
    Dinamarca)   32
escolas islâmicas   44
escorpião   29
Eslováquia
    bandeira, capital e população
    19, 37

Eslovênia   36
    bandeira, capital e população
    19, 37
Espanha
    bandeira, capital e população
    19, 35
    distância da África   34
    instrumento típico   35
    laranja   34
esportes
    hóquei no gelo   21
    rúgbi   57
esquilo-vermelho   32
Estados Unidos   22-3
    bandeira, capital e população   18
    população   17
estepes   15
estiagem   14
Estônia
    bandeira, capital e população
    18, 33
estrelas   8
Etiópia
    bandeira, capital e população   18,
    29
Etna, Monte   37
EUA veja Estados Unidos
Eufrates, Rio   43
Europa
    Central   19, 36-7
    condições de vida   16
    Norte da   18-9, 32-3
    Ocidental   19, 34-5
    Sudeste da   19, 38
Everest, Monte   46
expectativa de vida   17
    maior (país)   34

• • F • •

falhas em rochas   9
família, tamanho das   29
fazenda de gado   26
Federação Russa   40-1
    bandeira, capital e população   19
    população   17
felinos, grandes
    leão   30
    leopardo   30
    leopardo-das-neves   44
    lince   36
    onça-pintada   26
    tigre   40
feneco   28
ferro (no núcleo da Terra)   9
Ferrovia Transiberiana   41
Fiji
    bandeira, capital e população
    19, 55
Filipinas   50
    bandeira, capital e população
    19, 51
Finlândia
    bandeira, capital e população
    18, 33
    lagos e florestas   32
fiordes   32, 56, 57
flores, produção de   35
floresta   14-5, 20, 32, 36, 41, 56
floresta de coníferas   15
floresta tropical   14, 46, 56-7
    Amazônica   26
    animais   31
    Bacia do Congo   30
    desmatamento   26
    floresta tropical latifoliada   14
    maior   26, 30
floresta temperada   14
fogo de chão   54
folha de bordo   20
fontes termais   33, 38
Ford, Henry   22
fosfatos   41
fósseis humanos   31
Fossey, Dian   31
fotografias   7
França   36
    bandeira, capital e população
    19, 35
    queijo   34
Frankfurt, Alemanha   37

fronteira disputada, legenda   7
fronteiras entre países (mapa)   6
    legenda   7
    mais extensa   23
frutas cítricas   30, 36
frutas, cultivo de   22, 25, 57
Fuji, Monte   49
fumantes   38
furacões   55

• • G • •

Gabão
    bandeira, capital e população
    18, 30
Gâmbia
    bandeira, capital e população
    18, 28
Gana
    bandeira, capital e população
    18, 28
Ganges, Rio   46
Garganta Olduvai, Tanzânia   31
gás
    extração de   22, 26
    natural   28, 40, 42, 44
gatos siameses   50
gêiser   33, 57
gelo   59
    blocos   58
    derretimento   58
    hóquei no   21
    partículas   8
genciana-dos-jardins   37
gengibre   54
Geórgia
    bandeira, capital e população
    19, 43
gigantes gasosos   8
girassóis   39
glaciar   32-3
globos   6
goji, bagas de   48
gorilas   31
Gorillas in the Mist   31
Grã-Bretanha (Reino Unido e Irlanda)
    35
Granada
    bandeira, capital e população
    18, 25
Grand Canyon, EUA   22
Grande Barreira de Corais, Austrália
    53
Grande Muralha da China   48
Grandes Planícies, EUA   23
graus de latitude e longitude   6
gravidade (planetas)   8-9
Grécia
    bandeira, capital e população
    19, 39
Greenwich, Londres, Reino Unido   6
grou-siberiano   41
Guatemala
    bandeira, capital e população
    18, 24
guerra   42
Guiana
    bandeira, capital e população
    18, 27
Guiné
    bandeira, capital e população
    18, 28
Guiné Equatorial
    bandeira, capital e população
    18, 30
Guiné-Bissau
    bandeira, capital e população
    18, 28

• • H • •

Haiti
    bandeira, capital e população
    18, 25
haka   57
Havaí   22
hélio   9
hidreletricidade   21, 32, 57
hidrogênio   9
Himalaia   44, 46
Hinduísmo   46
HIV/Aids   17

69

ÍNDICE GERAL

Holanda
altitude   35
bandeira, capital e população   19, 35
cultivo de fores   34-5
população   34
turismo   35
Honduras
bandeira, capital e população   18, 25
hóquei no gelo   21
hotel mais alto   42
Hungria
bandeira, capital e população   19, 39

• • I • •

iaque   49
íbex alpino   36
icebergs   59
ícones nacionais
aves   23-4
bandeiras   18-9
instrumentos musicais 35
símbolos   20, 49, 57
idade
das pessoas   17, 34
do Sol   9
Iêmen
bandeira, capital e população   19, 43
ilhas do Pacífico   54-5
bandeira, capital e população   19
Ilhas Marshall
bandeira, capital e população   19, 54
Ilhas Salomão
bandeira, capital e população   19, 54
Índia   46, 47
bandeira, capital e população   19, 47
cidades   16
população   17
índice, como usar o   7
Indonésia
bandeira, capital e população   19, 51
população   17
indústria
automotiva   20, 22, 33-4, 36, 48
cinematográfica   46
pesqueira   21, 25, 32, 54, 56
petrolífera   22, 26, 42, 50-1
tecnológica   48, 50, 56
inhame   31
instituições financeiras   35
instrumento típico
Espanha   35
inuítes   58
Irã   42
bandeira, capital e população   19, 43
Iraque
bandeira, capital e população   19, 43
Irlanda
bandeira, capital e população   19, 35
Islamismo   42-3
Islândia
bandeira, capital e população   18, 33
vulcões   33
Israel   42
bandeira, capital e população   19, 43
Itália   36
bandeira, capital e população   19, 37
Iugoslávia   38
iurta   45

• • J • •

Jamaica
bandeira, capital e população   18, 25
Japão
bandeira, capital e população   19, 49

expectativa de vida   17
população   17
Java   51
javali   38
Jerusalém, Israel   43
Jordânia
bandeira, capital e população   19, 43
jubarte, baleia   59
Judaísmo   42, 43
Júpiter (planeta)   8-9

• • K • •

Kaikoura, Nova Zelândia   56
Kalahari, Deserto do   30
Kennedy Space Center, Flórida, EUA   23
khoisan   30
Kilimanjaro, Monte   31
Kiribati
bandeira, capital e população   19, 55
kiwi   57
Kuwait
bandeira, capital e população   19, 43
Kyzyl Kum, Deserto do   45

• • L • •

La Paz, Bolívia   26
lã, produção de   57
lagarto, maior   51
lago   20, 32
Baikal   40
de água doce (maior)   21
de água doce (mais antigo)   40
de água salgada   7, 43-4
legenda   7
mais profundo   40
Nicarágua   24
Ohrid   38
Prespa   38
Superior   21
Lamborghini, carros   36
Laos
bandeira, capital e população   19, 50
Lapônia (Finlândia, Noruega e Suécia)   32
laranja   34
laticínios, fabricação de   39
latitude   6
lava   9
leão-marinho da Nova Zelândia   57
legendas   7
leão   30
leopardo   30
leopardo-das-neves   44
Lesoto
bandeira, capital e população   18, 31
Letônia
bandeira, capital e população   19, 33
Líbano
bandeira, capital e população   19, 42
Libéria
bandeira, capital e população   18, 28
Líbia
bandeira, capital e população   18, 29
reservas de petróleo e gás natural   28
Liechtenstein   34
bandeira, capital e população   19, 37
limão
culinária   51
suco de   54
lince   36
língua/dialeto
alemão   37
escandinava   32
francês   21, 37
inglês   21
italiano   37
mandarim   48
país com o maior quantidade   54

písin   55
romanche   37
Linha Internacional da Data   55
linhas dos mapas   6
Lituânia
bandeira, capital e população   19, 33
Livingstone, David   30
lixo   50
lobo   32, 37
London Eye, Londres, Reino Unido   34
longitude   6
Lua   9
luas   8
Luxemburgo
bandeira, capital e população   19, 35
instituições financeiras   35
luz do dia, período   33
luzes do norte   58
luzes do sul   58

• • M • •

Macedônia
bandeira, capital e população   19, 39
Madagascar
bandeira, capital e população   18, 31
madeira
exportações de   40
indústria de artefatos   20, 51
magma   9
maias   24
maior altitude
capital   26
hotel   42
montanhas   22, 27, 31, 36, 44, 46-7, 49, 56
na África   31
no planeta   47
queda-d'água   26
roda-gigante   34
torre   21
maior extensão
cadeia montanhosa   27
cerca   52
fronteira entre países   23
praia   32
rios   29, 36
maior quantidade (país com)
dialetos   54
pessoas   17, 35
maior tamanho
campo de petróleo   22
cidade   27
continente   28
deserto   28
estrutura edificada   48
expectativa de vida (país)   34
floresta tropical   26, 30
lagarto   51
lago   21, 44
mina de diamante   41
mina de ouro   45
monumento religioso   50
país   40
palácio   51
pássaro terrestre   27
planeta   9
primata   31
rocha   52
mais antigo(a)
cidade   44
lago de água doce   40
república   37
mais frios do planeta, lugares   22, 48
mais secos do planeta, lugares   27, 30, 42, 44, 52
mais quentes do planeta, lugares   29, 30, 42
Malásia
bandeira, capital e população   19, 50
Malawi
bandeira, capital e população   18, 31
Maldivas
bandeira, capital e população   19, 47

Mali
bandeira, capital e população   18, 28
Malta
bandeira, capital e população   19, 37
mandioca   31
Manhattan, Nova York, EUA   23
manjericão   36
manto terrestre   9
maori, povo   56-7
mapa
cores   6, 7
de ruas   6
escalas   6
legendas   7
linhas   6
medidas   6
político mundial   12-3
produção   6
símbolos   6
máquinas, indústria de   20
mares, legenda   7
Mariinsky (Kirov), Balé   40
Marrocos
bandeira, capital e população   18, 28
turismo   28
marsupiais   52, 54
marta   39
Marte (planeta)   8, 9
máscaras   51
massas   36
Maurício
bandeira, capital e população   18, 31
Mauritânia
bandeira, capital e população   18, 28
Meca, Arábia Saudita   42
medicina chinesa   40, 48
Mediterrâneo, Mar   36
Melanésia   54
melão   44
Melbourne, Austrália   52
menor tamanho
continente   53
oceano   58
país   36
população (país)   56
república   54
Mercúrio (planeta)   8, 9
Mesopotâmia   43
metais   40
metano   8
meteoritos   9
México
bandeira, capital e população   18, 24
população   17
Mianmar
bandeira, capital e população   19, 50
Micronésia
bandeira, capital e população   19, 54
Milford Sound, Nova Zelândia   57
milho   23, 46
mineração   20, 22, 24, 26, 28, 30, 36, 41, 51-2
minério de ferro   32
Mirnyy, mina de diamante, Sibéria   41
Moçambique
bandeira, capital e população   18, 31
moedas
Estônia   32
Moldávia
bandeira, capital e população   19, 39
Mônaco   34
bandeira, capital e população   19, 35
população   17, 35
monções, clima de   46, 51
Mongólia
bandeira, capital e população   19, 49
densidade demográfica   16
monotremados   52

Mont Blanc   36
monte   51
altitude, legenda   7
Aoraki/Cook   56-7
cobertura de neve   15, 31, 46, 49
Etna   37
Everest   46-7
Fuji   49
Kilimanjaro   31
mais alto   22, 27, 31, 36, 44, 46-7, 49, 56
Otemanu   55
Montenegro   38
bandeira, capital e população   19, 39
Montes Urais   40
Monument Valley, EUA   22
monumento religioso, maior   50
Morto, Mar   42-3
Moscou, Federação Russa   40
Mouhot, Henri   50
Murantau, Uzbequistão   45
musgos   15

• • N • •

nações mais ricas   22, 48
Namíbia
bandeira, capital e população   18, 30
Deserto da   30
nativos norte-americanos   20, 22
natureza, resposta da   14
Nauru
bandeira, capital e população   19, 55
navios, construção de   50
Nepal
bandeira, capital e população   19, 47
Netuno (planeta)   8
neve (nos montes)   15, 31, 46, 49
Nicarágua
bandeira, capital e população   18, 25
Nicarágua, Lago   24
Níger
bandeira, capital e população   18, 29
Nigéria
bandeira, capital e população   18, 28
população   17
Nilo, Rio   28-9
níquel
extração de   41
no núcleo do planeta   9
nível do mar   32
diferentes níveis   24
territórios abaixo do   35, 42
nômades   16, 45
Noruega
fiordes   32
bandeira, capital e população   19, 33
Nova Guiné   54
Nova Zelândia   56-7
bandeira, capital e população   19
nozes   42
núcleo da Terra   9

• • O • •

oceano
diferentes níveis   24
legenda   7
menor   58
Ohrid, Lago   38
Okavango
delta do   31
rio   31
óleo de coco   54
onça-pintada   26
ondas, grandes   47
opala, extração de   52
orangotango   50
órbitas planetárias   9
órix da Arábia   42
ornitorrinco   52
Otemanu, Monte   55
ouro, extração de   28, 30, 41, 45, 52
outback (Austrália)   52
Oxyuranus microlepidotus   53

ÍNDICE GERAL

• • P • •

pacato, país mais 32
padrões climáticos 14
painço 46
países
    fronteiras (nos mapas) 6
    índices 7
    legenda 7
palácio
    Apostólico, Vaticano 36
    maior 51
Palau
    bandeira, capital e população
    19, 54
palma, óleo de 28
palmeiras 55
Pamir, Montes 44
pampas 15, 26
Panamá
    bandeira, capital e população
    18, 25
    Canal do 25
panda-gigante 48
Papua Nova Guiné
    bandeira, capital e população
    19, 54
Paquistão
    bandeira, capital e população
    19, 46
    população 17
Paraguai
    bandeira, capital e população
    18, 27
Paris, França 35
Parque Nacional de Triglav, Eslovênia
    36
parques nacionais 36
Partenon, Atenas, Grécia 38
pássaro, maior 27
penínsulas, legenda 7
Perth, Austrália 52
Peru
    bandeira, capital e população
    18, 27
pêssego 44
Petra, Jordânia 42
pimentas mais fortes 24
pinguim-real 59
pinhão 45
pipas, festival de 50
pistache 42
pizza 36
placas tectônicas 9
planeta
    anão 8
    características 9
    mais distante do Sol 8
    mais próximo do Sol 8, 9
plantação de grãos 39
plataformas, produção de arroz em
    50
Plutão (planeta) 8
Pó, Rio 36
poço de lama termal 33, 57
Pohutu, gêiser 57
Polinésia 54-5
Polo Norte 6, 14, 58
Polo Sul 6, 14, 58
Polônia 36
    bandeira, capital e população
    19, 37
polos, clima nos 14
Pompeia, Itália 37
população
    Canadá 20
    China 48-9
    cidades 16, 24, 29, 48-9
    controle 17
    crescimento 16,17
    densidade demográfica 16-7
    distribuição 16-7
    dos países 18-9
    EUA 22
    Índia 46
    legenda 7
    Mônaco 17, 35
    país com a maior 35
    país com a menor 56
população dos países 18-9
    Índia 46
    Mônaco 17, 35

porco-espinho 35
porcos, criação de 32, 36
Portugal
    bandeira, capital e população
    19, 35
    tomates 34
Praça Vermelha, Moscou, Federação
    Russa 40
pradaria 15
praia 56
    mais extensa 32
prata, extração de 24
Prespa, Lago 38
primata, maior 31
principados 34
programas espaciais 23
projeção (em mapas) 6

• • Q • •

quedas-d'água
    Cataratas do Niágara 26
    Cataratas Vitória 30
    legenda 7
    mais alta 26
    Salto Ángel 26
Quênia
    bandeira, capital e população
    18, 31
quetzal 24
Quirguistão 44
    bandeira, capital e população
    19, 45

• • R • •

raposa 34
recursos, escassez de 16
Reino Unido
    bandeira, capital e população
    19, 35
    turismo 34
rena 32
    rebanhos de 41
Reno, Rio 36
república
    mais antiga 37
    menor 54
República Centro-Africana
    bandeira, capital e população
    18, 29
República Dominicana
    bandeira, capital e população
    18, 25
República Tcheca 37
    bandeira, capital e população
    19,37
resposta da natureza 14
rinoceronte 30
rio
    Amazonas 26
    Colorado 22
    Danúbio 36
    Eufrates 43
    Ganges 46
    legenda 7
    mais extenso 29, 36
    Nilo 28, 29
    nos mapas 6
    Okavango 31
    Pó 36
    Reno 36
    Ródano 36
    Tigre 43
    Zambezi 30
Rio de Janeiro, Brasil 26
rocha, maior 52
Ródano, Rio 36
Romênia 38
    bandeira, capital e população
    19, 39
rosas
    óleo de 38
    produção de 38
Rotorua, Nova Zelândia 57
Ruanda
    bandeira, capital e população
    18, 31
rubi 50
rúgbi 57

• • S • •

Saab, automóveis 33

Saara, Deserto do 14, 16, 28-9
Saara Ocidental
    bandeira, capital e população
    18, 28
"Saiba mais" 7
saiga 45
salmão, pesca de 21
salsicha tipo Frankfurt 37
Samarcanda, Uzbequistão 44
sami, povo 32, 58
Samoa
    bandeira, capital e população
    19, 55
San Marino
    bandeira, capital e população
    19, 37
Santa Lúcia
    bandeira, capital e população
    18, 25
São Cristóvão e Névis
    bandeira, capital e população
    18, 25
São Tomé e Príncipe
    bandeira, capital e população
    18, 30
São Vicente e Granadinas
    bandeira, capital e população
    18, 25
sariguê 52
Saturno (planeta) 8
    anéis de 8
savana 15, 30
Senegal
    bandeira, capital e população
    18, 28
serpentes
    cobra-real 46
    cobras marinhas 53
    veneno mais forte 53
Serra Leoa
    bandeira, capital e população
    18, 28
Sérvia 38
    bandeira, capital e população
    19, 39
Seychelles
    bandeira, capital e população
    18, 31
Shah Jahan 46
Shir-Dor (madraçal), Samarcanda,
    Uzbequistão 44
siameses, gatos 50
Sibéria 40-1
siderúrgicas 32
Sidney, Austrália 52-3
    Ópera de 53
símbolos nacionais
    Canadá 20
    Japão 49
    Nova Zelândia 57
símbolos nos mapas 6
Síria
    bandeira, capital e população
    19, 42
Sistema Solar 8
    maior planeta 9
Sol
    distância relativa dos planetas 8
    planetas mais distantes 8
    planetas mais próximos 8, 9
    tamanho 9
    temperatura 9
    tempo que a luz leva até alcançar a
    Terra 8
Somália
    bandeira, capital e população
    18, 29
spa 38
Sri Lanka 46
    bandeira, capital e população
    19, 47
Strokkur, gêiser 33
Suazilândia
    bandeira, capital e população
    18, 31
    expectativa de vida 17
subcontinente indiano 46
Sucre, Bolívia 26
Sudão
    bandeira, capital e população
    18, 29

Suécia 32
    bandeira, capital e população
    19, 33
Suíça 36
    bandeira, capital e população
    19, 37
Superior, Lago 21
Suriname
    bandeira, capital e população
    18, 27
sushi 49

• • T • •

tabaco 38
Tailândia
    bandeira, capital e população
    19, 50
Taiwan
    bandeira, capital e população
    19, 49
Taj Mahal, Agra, Índia 46
Tajiquistão 44
    bandeira, capital e população
    19, 45
tamanho dos países
    maior 40
    menor 36
tâmaras 28-9
Tanzânia
    bandeira, capital e população
    18, 31
tapete, fabricação de 42, 44, 57
tartaruga-verde 55
Tchecoslováquia 37
temperatura
    deserto 15, 29
    mais fria do planeta 22, 48, 58-9
    mais quente do planeta 15, 29,
    30, 42
    Sol 9
tempestade 14
Terra (planeta) 9
    no espaço 8-9
terremotos 9
território anexo, legenda 7
têxteis, fábricas 28
textos introdutórios 7
tigre 40
Tigre, Rio 43
Tiki, esculturas 56
Timor Leste
    bandeira, capital e população
    19, 51
título continental 7
título regional 7
Togo
    bandeira, capital e população
    18, 28
tomate 34, 36
Tonga
    bandeira, capital e população
    19,55
Tóquio, Japão 48
torre
    CN Tower, Toronto, Canadá 21
    Eiffel, Paris, França 35
    mais alta 21
Transiberiana, Ferrovia 41
trem de grande velocidade (TGV) 34
trens mais rápidos 34
trigo 20, 34, 38
Trinidad e Tobago
    bandeira, capital e população
    18, 25
Trópico de Câncer 6
Trópico de Capricórnio 6
tsunami 47
tubarão-touro 24
tufões 55
tundra 15, 20, 41
Tunísia
    bandeira, capital e população
    18, 28
    turismo 28
Turcomenistão 44
    bandeira, capital e população
    19, 45
turismo
    África Meridional 30
    África Setentrional 28
    Alpes 36
    Antártida 59

Austrália 52
Espanha 34
Holanda 35
ilhas do Caribe 25
Ilhas do Pacífico 54
Israel 42
Jordânia 42
Noruega 32
Nova Zelândia 56
Polinésia 55
Reino Unido 34
Turquia 42
Turquia 42
    bandeira, capital e população
    19, 43
Tuvalu
    bandeira, capital e população
    19, 55

• • U • •

Ucrânia 38
    bandeira, capital e população
    19, 39
Uganda
    bandeira, capital e população
    18, 31
Uluru, Austrália 52
União Internacional de Astronomia 8
Universo 8
Urânio (planeta) 8
urano, extração de 28
urso 37
    urso-pardo 23, 32
    urso-polar 14, 58
Uruguai
    bandeira, capital e população
    18, 27
uvas 28, 30, 34, 36, 38-9
Uzbequistão 44
    bandeira, capital e população
    19, 45

• • V • •

Vanuatu
    bandeira, capital e população
    19, 54
Vaticano 36
    bandeira, capital e população
    19, 37
vegetação 14
    arbustiva 15
vegetais, cultivo de 22, 39
Venezuela 26
    bandeira, capital e população
    18, 27
vento
    força 14, 29, 55
    local em que mais ocorre 59
Vênus (planeta) 8, 9
Vesúvio 37
Via Láctea 8
Victoria Falls 30
Vietnã
    bandeira, capital e população
    19, 50
vinho, fabricação de 22, 34, 52, 56
vinícolas 34
violão 35
"Você Sabia?" 7
vulcões 9, 33, 37, 51, 54, 56

• • W • •

wallabies 52

• • X • •

Xangai, China 49
xarope de bordo 21

• • Z • •

Zambezi, Rio 30
Zâmbia
    bandeira, capital e população
    18, 31
Zimbábue
    bandeira, capital e população
    18, 31

Créditos das imagens

A Editora Gaia agradece às seguintes pessoas e organizações por terem permitido o uso de suas fotografias.

Abreviações
s = superior; i = inferior; c = centro; d = direita; e = esquerda.

Aloysius Han – www.geohavens.com pelos rubis da p. 50; Alstom; Automobili Lamborghini SpA; CN Tower, Canadá; Dickinson by Design; Ford Motor Company; International Crane Foundation, Baraboo, Wisconsin; Jumeirah International; Memories of New Zealand – www.memoriesofnz.co.nz; Saab Great Britain Ltd.

Ardea: John Wombe/Auscabe/Ardea.com 53 ic.

Britain on View: www.britainonview.com 34 ic.

Bruce Coleman: 55 cd.

Corbis: Tiziana e Gianni Baldizzone: 32 sd; Sharna Balfour/ Gallo Images: 31 sd; Tom Bean: 36 ie; Fernando Bengoechea/Beateworks: 35 sd; Tibor Bognar: 46 ce, 46 ci; Christophe Boisvieux: Simonpietri Christian/Corbis Sygma: 9 id; Arko Datta/Reuters: 46 ce; Colin Dixon/Arcaid: 38 cdi; DLILLC: 30 ic; 56 cd; epa: 14 ce; Alejandro Ernesto/epa: 14 ie; Randy Faris: 24 ie; Campos de arroz – Louie Psihoyos: 50 ie; Franz Marc Frei: 56 ie; Natalie Fobes: 35 id; Owen Franken: 17 sd; Darren Gullin: 15 sd; Ainal Abd Halim/Reuters: 42 sd; Lindsay Hebberd: 17 se; Chris Hellier: 31 cd; Dallas e John Heaton/Free Agens Limited: 29 id, 49 sd; Jon Hicks: 27 id; Robert van der Hilt: 38 ce; Eric e David Hosking: 15 ice; Hanan Isachar: 43 sd; Wolgang Kaehler: 15 se, 15 id, 54 ie; Catherine Karnow: 38 cd, 55 sd; Frank Krahmer/zefa: 27 ce; Jacques Langenvin/Corbis Sygma: 41 sd; Danny Lehman: 25 id; John e Lisa Merrill: 36 c; Viviane Moos: 46 sd; Kazuyoshi Nomachi: 29 sc; Neil Rabinowitz: 57 cd; Finbarr O'Reilly/Reuters: 16 sd; José Fuste Raga/zefa: 14 id, 22 ie, 34 cd, 49 id, 50 c; Carmen Redondo: 32 id; Reuters: 26 cd, 53 sd; Guenter Rossenbach/zefa: 15 sce; Galen Rowell: 55 se, 58 cd; Anders Ryman: 52 ce; Kevin Schafer: 9 ic; Alfio Scigliano/Sygma/Corbis: 37 id; Paul Seheult /Eye Ubiquitous: 26 sd; Hugh Sitton/zefa: 51 se; Hubert Stadler: 15 scd; Paul A. Souders: 33 cd; Jon Sparks: 42 ie; Shannon Stapleton/Reuters: 16 ie; Hans Strand: 56 sd; Staffan Widstrand: 37 cd; Uli Wiesmeier/zefa: 36 sd; Tony Wharton/Frank Lane Picture Agency: 37 sd; Larry Williams: 25 sd; Valdrin Xhemaj/epa: 21 sc; Shamil Zhumatov/Reuters: 44 c.

ESA: 8 ce, c, cd, 9 ce, c, cd.

FLPA: Ingo Arndt/Foto Natura/Minden Pictures: 38 ic; Richard Becker: 14 sd; Jim Brandenburg/Minden Pictures: 48 ce; Hans Dieter Brandl: 32 cd; Michael Callan: 32 ce; R. Dirscherl: 51 cd; Gerry Ellis/Minden Pictures: 48 id; im Fitzharris/ Minden Pictures/FLPA: 20 ie; Michael & Patricia Fogden/Minden Pictures: 24 ic; Michael Gore: 52 c; Rev. Bruce Henry: 46 id; Michio Hoshino/Minden Pictures: 23 sd, 58 id; Mitsuaki Iwago/Minden Pictures: 52 ic; Frank W. Lane: 45 sd; Frans Lanting: 23 ic, 26 ic, 29 cd; Thomas Mangelsen/Minden Pictures: 4-5 i; S & D & K Maslowski: 20 ic; Claus Meyer/Minden Pictures: 26 ce; Yva Momatiuk/John Eastcott/Minden Pictures: 27 sd; Collin Monteath/Minden Pictures: 47 sd; Rinie van Muers/Foto Natura: 3 c, 59 sd; Mark Newman: 41 se; Flip Nicklin/Minden Pictures: 21 sd; R & M Van Nostrand: 28 ie; Alan Parker: 44 ie; Walter Rohdich: 46 cd; L Lee Rue: 21 cd; Cyril Ruoso/JH Editorial/Minden Pictures: 26 sd; Silvestris Fotoservice: 39 cd; Jurgen & Christine Sohns: 31 sc, 44 id; Inga Spence: 42 ic; Egmont Strigl/Imagebroker/FLPA: 45 id; Chris & Tilde Stuart: 43 id; Terry Andrewartha: 58 sd; Barbara Todd/Hedgehog House/Minden Pictures: 59 cd; Winfried Wisniewski: 40 ce, 59 ie; Terry Wittaker: 34 sd; Konrad Wothe/Minden Pictures: 40 ic; Zhinong Xi/Minden Pictures: 49 se; Shin Yoshino/Minden Pictures: 53 cd.

Andy Crawford: 51 id.

Steve Gorton: 24 c, 34 ce, 36 c, 38 sc, ic, 41 ie, 42 c, 45 se, cd, 47 ce, ic, 49 cd, 51 c, 54 sd, 54 ic.

NASA: 9 sd, 23 id.

Chez Picthall: 2 i, 23 sc, 41 id.

Peter Picthall: 28 ce.

Still Pictures: K. Thomas/Still Pictures: 39 se.

Warren Photographic: Jane Burton: 39 id, 50 sd, 57 id; Kim Taylor e Mark Taylor: 32 c; Mark Taylor: 50 se, borboletas-monarca: © Warren Photographic: 24 sc.

Dominic Zwemmer: 14 ce, 15 ic, 30 ce, 53 id, 57 c.

Primeira capa
Imagem principal: NASA; Tim Graham/Corbis: se; DLILLC/Corbis: ce; Michael Gore FLPA: cei; Cyril Ruoso/JH Editorial/Minden Pictures/FLPA: ie.

Quarta capa
Jose Fuste Raga/Corbis: se, ce; Warren Photographic: cei; Nasa: ie.

Todas as outras imagens: © de Picthall e Gunzi.

Despendemos todo esforço no sentido de identificar os detentores de copyright e nos desculpamos por qualquer omissão involuntária. Será um prazer incluir os devidos créditos nas próximas edições deste livro.

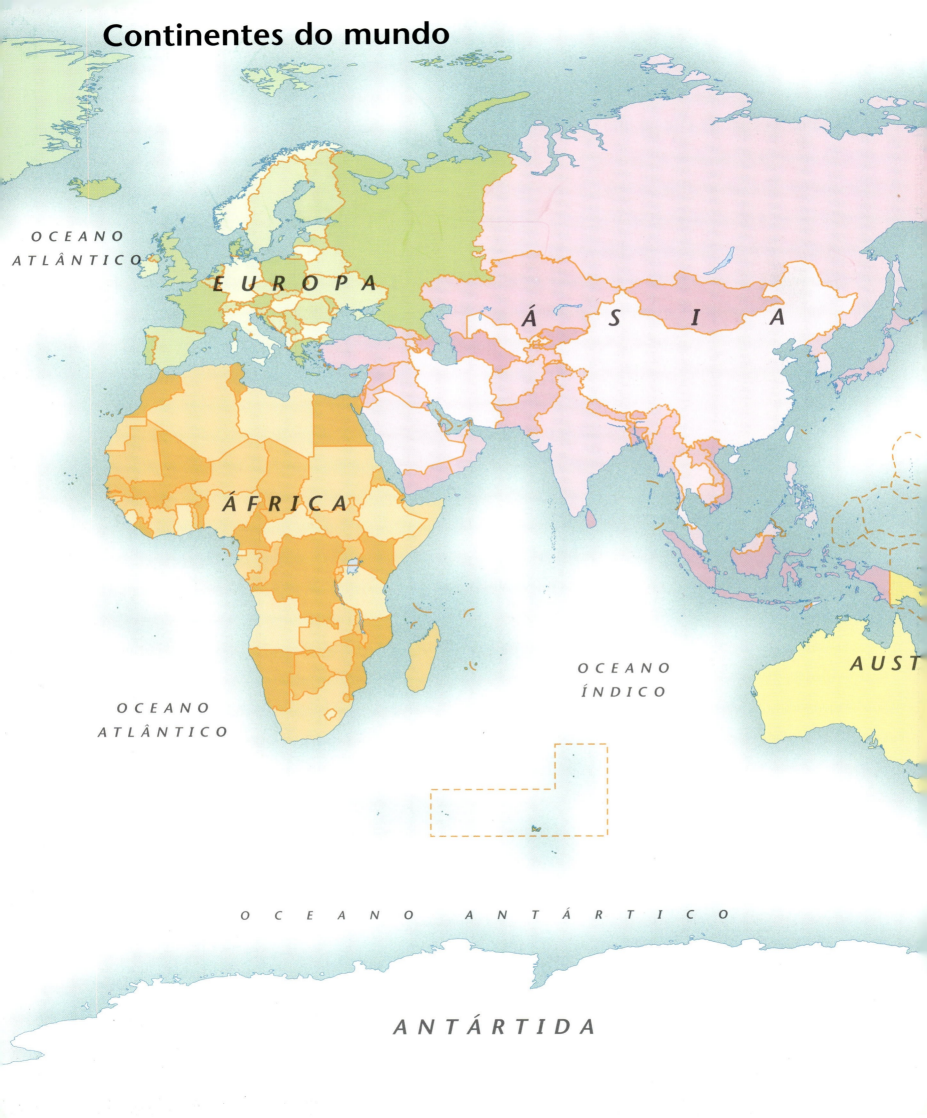

Continentes do mundo